O EGO
É SEU
INIMIGO

O EGO É SEU INIMIGO

COMO DOMINAR SEU PIOR ADVERSÁRIO

RYAN HOLIDAY

Tradução de Andrea Gottlieb

Copyright © 2016 by Ryan Holiday
Edição publicada mediante acordo com Portfolio,
um selo da Penguin Random House LLC.

TÍTULO ORIGINAL
Ego is the enemy

PREPARAÇÃO
Natalia Klussmann

REVISÃO
Juliana Werneck
Juliana Pitanga

DIAGRAMAÇÃO
Kátia Regina Silva | Babilonia Cultura Editorial

DESIGN DE CAPA
Karl Spurzem

FOTO DE CAPA
Kamira | Shutterstock

ADAPTAÇÃO DE CAPA
Julio Moreira | Equatorium Design

CIP-BRASIL. CATALOGAÇÃO NA PUBLICAÇÃO
SINDICATO NACIONAL DOS EDITORES DE LIVROS, RJ

H675e

Holiday, Ryan, 1987-
    O ego é seu inimigo / Ryan Holiday ; tradução Andrea
Gottlieb. – 1. ed. – Rio de Janeiro : Intrínseca, 2017.

    Tradução de: Ego is the enemy
    Inclui bibliografia
    ISBN 978-85-510-0242-1

    1. Administração de pessoal. 2. Liderança. I. Gottlieb,
Andrea. II. Título.

17-42804
                         CDD: 658.314
                         CDU: 658.310.42

[2017]

Todos os direitos desta edição reservados à
EDITORA INTRÍNSECA LTDA.
Av. das Américas, 500, bloco 12, sala 303
22640-904 – Barra da Tijuca
Rio de Janeiro – RJ
Tel./Fax: (21) 3206-7400
www.intrinseca.com.br

Não acredite que aquele que procura confortá-lo vive serenamente entre as palavras simples e tranquilas que às vezes fazem bem a você. A vida dele tem muitas dificuldades e tristezas, e permanece bem aquém da que você leva. Não fosse assim, ele jamais teria conseguido encontrar essas palavras.

— RAINER MARIA RILKE

SUMÁRIO

O doloroso prólogo	9
Introdução	17

PARTE I . ASPIRAÇÃO

Blá, blá, blá	41
Ser ou fazer?	49
Torne-se um aprendiz	57
Não seja apaixonado	65
Siga a estratégia da tela em branco	73
Contenha-se	83
Liberte-se de seus pensamentos	91
O perigo do orgulho precipitado	99
Trabalho, trabalho, trabalho	107
Para tudo o que vem a seguir, o ego é seu inimigo	113

PARTE II . SUCESSO

Seja sempre um aprendiz	129
Não conte uma história a si mesmo	135
O que é importante para você?	143

Arrogância, controle e paranoia	151
Como administrar a si mesmo	159
Cuidado com a doença do eu	167
Medite sobre a imensidão	175
Mantenha a sobriedade	181
Para o que costuma vir a seguir, o ego é seu inimigo	187

PARTE III . FRACASSO

Tempo produtivo ou tempo improdutivo?	207
O esforço é suficiente	213
Momentos *Clube da Luta*	221
Saiba quando parar	229
Tenha seus próprios critérios de avaliação	237
Ame sempre	243
Para tudo o que vem a seguir, o ego é seu inimigo	251
Epílogo	255
O que ler agora	263
Bibliografia selecionada	265
Agradecimentos	269

O DOLOROSO PRÓLOGO

Este livro não é sobre mim. Mas, como é um livro sobre o ego, vou abordar uma questão que seria hipocrisia não considerar.

Quem diabo eu sou para escrevê-lo?

Minha história não é particularmente importante para as lições que serão expostas a seguir, mas quero contá-la de maneira breve logo no início do livro para oferecer um contexto, já que vivenciei ao longo da minha curta experiência de vida cada uma das etapas do ego: aspiração, sucesso, fracasso. E mais de uma vez.

Quando eu tinha 19 anos, ao perceber algumas oportunidades incríveis que poderiam mudar minha vida, abandonei a faculdade. Mentores disputavam a minha atenção, tentando me manter sob a tutela deles. Visto como alguém que iria longe, eu era o menino prodígio. O sucesso veio rápido.

Depois que me tornei o executivo mais jovem de uma agência de gestão de talentos em Beverly Hills, trabalhei com várias bandas de rock importantes e as ajudei a assinar contratos. Atuei como consultor de livros que venderam milhões de cópias e inauguraram seus próprios nichos no mercado editorial. Perto da época em que alcancei a maioridade, eu era um estrategista da American Apparel, que, então, era uma das marcas de moda mais badaladas do mundo. Não demoraria muito para que eu me tornasse o diretor de marketing.

Aos 25 anos, publiquei meu primeiro livro — que imediatamente se tornou um controverso campeão de vendas — com meu rosto impresso com destaque na capa. Um estúdio comprou os direitos para criar um programa de televisão sobre a minha vida. Nos anos que se seguiram, acumulei muitas das armadilhas do sucesso — influência, uma plataforma, atenção da imprensa, recursos, dinheiro e até um pouco de notoriedade. Mais tarde, usei esses bens para construir uma empresa de sucesso, na qual eu trabalhava com clientes famosos, que pagavam bem, e fazia o tipo de trabalho que me levou a ser convidado a dar palestras em conferências e eventos sofisticados.

Com o sucesso, surge a tentação de contar uma história, de aparar as arestas, apagar os golpes de sorte e acrescentar um toque de mitologia a todos os detalhes. Você sabe, aquele arco narrativo da luta hercúlea pela grandeza contra todas as adversidades: dormindo no chão, sendo renegado por meus pais, sofrendo devido à minha ambição. É um tipo de narrativa em que o talento acaba se tornando a sua identidade, e suas realizações passam a representar o seu valor.

Mas uma história desse tipo nunca é honesta nem útil. Ao recontá-la a você agora mesmo, deixei muitas coisas de fora. Convenientemente, omiti o estresse e as tentações. Tanto os reveses de fazer revirar o estômago quanto os erros — todos os erros — foram deixados na sala de edição em favor do desenrolar dos pontos de mais sucesso. São os momentos que eu prefiro não discutir: uma humilhação pública feita por alguém que

O DOLOROSO PRÓLOGO

eu admirava, evento cujo impacto na época me fez parar no hospital; o dia em que perdi o controle, entrei na sala do meu chefe e disse que eu não era capaz e que voltaria para a faculdade — e eu estava sendo sincero; a natureza efêmera da carreira de autor de best-seller e o quão curta ela de fato foi — durou uma semana; o evento de autógrafos ao qual só *uma* pessoa compareceu; o desmantelamento da empresa que fundei e o fato de eu ter precisado reconstruí-la duas vezes. Esses são apenas alguns dos momentos cortados na edição da narrativa.

O próprio quadro geral também é só uma fração da vida, mas pelo menos cobre um número maior dos elementos importantes — ou os elementos que são importantes para este livro: ambição, realização e adversidade.

Não acredito em epifanias. Uma pessoa não muda por causa de um único acontecimento. São muitos. Durante um período de cerca de seis meses em 2014, parecia que todos esses acontecimentos estavam ocorrendo sucessivamente.

Primeiro, a American Apparel — onde fiz grande parte do meu melhor trabalho — chegou à beira da falência, com centenas de milhões de dólares em dívidas, nada mais do que as ruínas daquilo que fora um dia. Seu fundador, por quem eu nutrira uma admiração profunda desde a juventude, foi demitido sem qualquer cerimônia pela diretoria que ele próprio escolhera a dedo e acabou tendo de ir dormir no sofá da casa de um amigo. Em seguida, a agência de talentos dentro da qual construí meus alicerces se viu em uma situação semelhante, categoricamente processada por clientes aos quais ela devia muito dinheiro. Outro dos meus mentores começou a desabar por volta da mesma época, levando consigo o nosso relacionamento.

Essas eram as pessoas com as quais me relacionei enquanto eu moldava a minha vida. Pessoas nas quais eu havia me espelhado. Sua estabilidade — financeira, emocional, psicológica — não era apenas algo que eu dava como certo, mas também uma coisa fundamental para a minha existência e autoestima. E, ainda assim, lá estavam eles, implodindo bem na minha frente, um após outro.

As coisas estavam saindo dos trilhos, era essa a minha sensação. Passar a vida tomando alguém por exemplo e, de uma hora para outra, evitar se tornar aquela pessoa a todo custo: esta é uma rasteira para a qual ninguém pode se preparar.

E tampouco eu estava imune à implosão. Justo no momento em que eu menos podia lidar com eles, os problemas que eu negligenciei durante toda a vida começaram a emergir.

Apesar de minhas conquistas, acabei voltando à cidade onde havia começado. Eu estava estressado e estafado após abrir mão de grande parte de uma liberdade conquistada a duras penas, tudo porque não conseguia dizer não ao dinheiro nem à excitação de uma boa crise. Eu estava tão tenso que a menor perturbação provocava uma explosão de ira incontrolável. Meu trabalho, que antes era algo que eu fazia com tanta facilidade, tornou-se extremamente difícil. Minha confiança em mim e nos outros desabou, assim como minha qualidade de vida.

Eu me lembro de chegar em casa certo dia, depois de ter viajado por semanas, e ter um ataque de pânico intenso porque o wi-fi não estava funcionando — *Se eu não mandar estes e-mails. Se eu não mandar estes e-mails. Se eu não mandar estes e-mails. Se eu não mandar estes e-mails...*

O DOLOROSO PRÓLOGO

Você acha que está cumprindo o seu dever. A sociedade o recompensa por isso. Mas, então, vê sua futura esposa sair porta afora porque você não é mais a pessoa que costumava ser.

Como algo assim acontece? Você pode mesmo deixar de ser alguém que acredita estar sobre os ombros de gigantes em um dia e, no outro, passar a ser um sobrevivente saindo dos escombros de múltiplas explosões, tentando recolher os pedaços em meio às ruínas?

Um ponto positivo, porém, foi que isso me forçou a encarar o fato de que eu era viciado em trabalho. E não de um modo "Ah, ele trabalha demais", ou "Relaxe um pouco e trabalhe menos", mas sim "Se ele não fizer um tratamento para largar o vício, vai acabar morrendo cedo". Eu me dei conta de que a motivação e compulsão que haviam me tornado bem-sucedido tão cedo tiveram um preço — como acontecera a muitos outros. Não era tanto a quantidade de trabalho, mas o espaço excessivo que ele havia ocupado na minha autoimagem. Eu estava tão profundamente preso em minha mente que me tornei refém dos meus próprios pensamentos. O resultado era uma espécie de esteira de dor e frustração na qual eu estava sempre correndo, e eu precisava descobrir o motivo disso — a não ser que quisesse ter um fim igualmente trágico.

Durante muito tempo, como pesquisador e escritor, estudei história e negócios. Como qualquer situação que envolva pessoas, se observarmos um período longo o bastante, começarão a surgir questões universais. Sempre fui fascinado por esses tópicos, sobretudo pelo ego.

Eu já estava familiarizado com o ego e seus efeitos. Na verdade, já fazia um ano que havia começado a pesquisa para este livro quando os eventos que acabei de narrar tiveram início. Mas as experiências dolorosas que tive na época colocaram as noções que eu vinha estudando em uma perspectiva que eu não conseguiria compreender antes.

Elas me permitiram ver a manifestação dos efeitos negativos do ego não apenas em mim mesmo ou nas páginas da história, mas em meus amigos, clientes e colegas, alguns deles ocupando os cargos mais altos de diversas indústrias. O ego custou centenas de milhões de dólares a pessoas que admiro e, como aconteceu a Sísifo, afastou-os de seus objetivos no momento em que estavam mais perto de alcançá-los. Agora posso dizer que cheguei à beira do precipício e dei uma boa olhada lá embaixo.

Alguns meses depois da minha descoberta, tatuei a frase "O EGO É O INIMIGO" em meu antebraço direito. Não sei de onde vieram essas palavras — provavelmente de algum livro que li muito, muito tempo atrás. Mas elas se tornaram, de imediato, uma fonte de grande conforto e orientação. Em meu braço esquerdo, de fonte igualmente desconhecida, lê-se: "O OBSTÁCULO É O CAMINHO." É para essas duas frases que olho agora todos os dias, e elas servem de referência para as decisões que tomo na vida. Não posso evitar olhar para elas quando nado, quando medito, quando escrevo, quando saio do chuveiro de manhã, e as duas frases me preparam — são um lembrete — para escolher a direção certa em qualquer situação com a qual eu possa me deparar.

Escrevi este livro não porque conquistei algum tipo de sabedoria que faça com que eu me sinta qualificado para lecionar, mas porque é o livro que eu gostaria de ter lido nos momentos mais decisivos da minha vida. São momentos pelos quais todos

O DOLOROSO PRÓLOGO

passam, onde somos convocados a responder às perguntas mais cruciais que alguém pode se fazer na vida: Quem eu quero ser? Que caminho vou seguir? (*Quod vitæ sectabor iter.*)

E, uma vez que descobri que essas perguntas são atemporais e universais, tentei recorrer à filosofia e a exemplos históricos ao longo do livro em vez de usar minha experiência pessoal, à qual reservei este prólogo.

Embora os livros de história estejam cheios de relatos sobre gênios obcecados e visionários que reconstruíram o mundo à sua imagem por meio de uma força quase irracional, percebi que, se procurarmos o suficiente, descobriremos que a história também foi feita por indivíduos que passaram a vida inteira lutando contra seus egos, que evitaram os holofotes e colocaram os objetivos mais importantes acima do desejo por reconhecimento. Explorar e recontar essas histórias foi o método que encontrei de aprendê-las e absorvê-las.

Tal qual meus outros livros, este é profundamente influenciado pela filosofia do estoicismo e por todos os pensadores clássicos. Ao escrever, tomo de empréstimo muitas coisas deles, do mesmo modo que faço na vida. Se você encontrar alguma coisa que lhe seja útil neste livro, o mérito é deles, não meu.

O orador Demóstenes disse certa vez que a virtude começa pela compreensão e é completada pela coragem. Devemos começar colocando o mundo e nós mesmos pela primeira vez sob uma nova perspectiva. Em seguida, devemos lutar para conquistar e manter a mudança que queremos em nós — essa é a parte difícil. Não digo que você deve reprimir ou esmagar cada grama de ego em sua vida — ou sequer que isso seja possível. Esses são apenas lembretes, histórias com lições morais para encorajar nossos melhores impulsos.

Em seu famoso *Ética*, Aristóteles usa a analogia de um pedaço de madeira torcido para descrever a natureza humana. A fim de eliminar a deformação, um carpinteiro habilidoso aplica, devagar, pressão na direção oposta — basicamente, tornando-o reto. É claro que, alguns milhares de anos depois, Kant retorquiu: "Da madeira torta que é a humanidade, nada que seja reto pode ser feito." Talvez nunca sejamos retos, mas podemos nos esforçar para nos aproximarmos da retidão.

É sempre bom se sentir especial, poderoso ou inspirado. Mas esse não é o objetivo deste livro. Pelo contrário, tentei organizar as páginas de forma que você possa acabar no ponto em que cheguei quando terminei de escrevê-las: ou seja, você ficará menor aos próprios olhos. Espero que invista menos em contar o quão especial você é e, consequentemente, esteja livre para *concretizar* o potencial de mudar o mundo por meio do trabalho que se dispôs a cumprir.

INTRODUÇÃO

O primeiro princípio é que você não deve se enganar — e que você é a pessoa mais fácil de enganar.

— RICHARD FEYNMAN

Talvez você seja jovem e esteja transbordando ambição. Talvez seja jovem e esteja em dificuldade. Talvez tenha ganhado seus primeiros milhões, assinado o primeiro contrato, talvez tenha sido selecionado para integrar algum grupo de elite ou até já tenha conquistado o suficiente para não precisar se preocupar pelo resto da vida. Talvez esteja chocado ao descobrir o vazio que encontramos no topo. Pode ser que tenha sido encarregado de liderar outras pessoas em meio a uma crise. Talvez tenha acabado de ser demitido. Ou, quem sabe, acabou de chegar ao fundo do poço.

Seja qual for sua situação, o que quer que esteja fazendo, seu pior inimigo já mora dentro de você: seu ego.

"Eu, não", você pensa. "Ninguém nunca me chamaria de egomaníaco." Talvez você sempre tenha se visto como alguém bastante equilibrado. Entretanto, para pessoas com ambições, talentos, motivações e potencial a ser realizado, o ego vem a reboque. Justamente o que nos torna tão promissores como pensadores, executores, criadores e empreendedores e que nos leva ao topo de todos esses campos também nos torna vulneráveis ao lado mais sombrio da psique.

Que fique claro que este não é um livro sobre o ego no sentido freudiano. Freud gostava de explicar o ego por meio de analogias — nosso ego montado em um cavalo, as motivações inconscientes representadas pelo animal e o ego tentando comandá-las. A psicologia moderna, por outro lado, usa a palavra "egolatria" para se referir a alguém perigosamente concentrado em si mesmo e que despreza qualquer outra pessoa. Todas essas definições são precisas, mas têm pouco valor fora do ambiente clínico.

O ego ao qual nos referimos com maior frequência tem uma definição mais casual: uma crença doentia na própria importância. Arrogância. Ambição egocêntrica. Esta é a definição que este livro usará. É aquela criança petulante dentro de cada um, que prefere fazer as próprias vontades acima de tudo ou de qualquer pessoa. A necessidade de ser *melhor do que, mais do que, reconhecido por*, muito além de qualquer utilidade plausível — isso é o ego. É o senso de superioridade e de certeza que ultrapassa os limites da autoconfiança e do talento.

É quando a noção de nós mesmos e do mundo se torna tão inflada que começa a distorcer a realidade que nos cerca. Como explicou o técnico de futebol Bill Walsh, ocorre quando "a autoconfiança se transforma em arrogância, a assertividade se torna teimosia e a segurança vira imprudência desmedida". Esse é o ego, como alertou o escritor Cyril Connolly, que "nos atrai como a força da gravidade".

INTRODUÇÃO

Desse modo, o ego é inimigo tanto daquilo que você quer quanto daquilo que você tem: do domínio de um ofício; do verdadeiro pensamento criativo; da capacidade de trabalhar bem em equipe; de conquistar lealdade e apoio; da longevidade; da repetição e da manutenção do sucesso. Ele repele vantagens e oportunidades. É um ímã para inimigos e erros. É Cila e Caríbdis.

A maioria de nós não é "egomaníaca", mas o ego está na raiz de todo problema ou obstáculo que se possa imaginar — tanto na razão pela qual não conseguimos vencer quanto na necessidade de vencermos o tempo todo e à custa dos outros. É o motivo pelo qual não temos o que queremos e da insatisfação após conseguir aquilo que queríamos.

Não costumamos enxergar as coisas dessa maneira. Encontramos algum outro culpado por nossos problemas (na maioria das vezes, outras pessoas). Nós somos, como disse o poeta Lucrécio alguns milhares de anos atrás, o proverbial "doente que ignora a causa de sua enfermidade". Sobretudo no caso de pessoas bem-sucedidas, que não conseguem ver o que o ego as impede de fazer, porque veem apenas as conquistas do passado.

Em cada ambição e meta que temos — seja grande ou pequena —, o ego sempre tenta nos atrapalhar quando nos dedicamos por inteiro.

O pioneiro CEO Harold Geneen comparou o egocentrismo ao alcoolismo: "O egocêntrico não tropeça, derrubando as coisas da mesa. Ele não gagueja nem baba. Não; em vez disso, ele se torna cada vez mais arrogante, e algumas pessoas, sem saber o que há por trás dessa atitude, confundem sua arrogância com autoridade e autoconfiança." Pode-se dizer que eles próprios começam a fazer essa confusão, sem perceber a doença que contraíram ou que estão se matando por causa dela.

Se o ego é a voz dizendo que somos melhores do que de fato somos, é possível chegar à conclusão de que ele inibe o verdadeiro sucesso ao nos impedir de realizar uma conexão direta e honesta com o mundo à nossa volta. Um dos primeiros membros dos Alcoólatras Anônimos acertou em cheio ao definir o ego como "aquilo que conscientemente nos separa *de*". De quê? Tudo.

As maneiras como essa separação se manifesta de modo negativo são infinitas: não conseguimos trabalhar com outras pessoas quando construímos muros. Não podemos melhorar o mundo se não entendemos nem a ele, nem a nós mesmos. Não podemos aceitar ou receber *feedback* quando somos incapazes de ouvir fontes externas ou não temos interesse nisso. Não conseguimos identificar oportunidades — ou criá-las — se, em vez de enxergarmos o que está diante de nós, vivemos dentro da nossa própria fantasia. Sem uma comparação acurada entre nossas habilidades e a dos outros, o que temos não é autoconfiança, mas ilusão. Se perdemos a conexão com nossas necessidades e com a dos outros, poderemos alcançar, motivar ou liderar outras pessoas?

A artista performática Marina Abramović é direta: "Se você começar a acreditar na própria grandeza, será a morte de sua criatividade."

Apenas uma coisa mantém o ego por perto: o conforto. Perseguir um trabalho de qualidade — seja no esporte, na arte ou nos negócios — é, muitas vezes, aterrorizante. O ego reduz esse medo. É como um bálsamo para a insegurança. Substituindo as partes racionais e conscientes de nossa psique por vanglória e autocentralização, o ego nos diz o que queremos ouvir, quando queremos ouvir.

INTRODUÇÃO

Mas ele é uma solução de curto prazo com uma consequência de longo prazo.

O EGO SEMPRE ESTEVE PRESENTE.
AGORA, É ENCORAJADO.

Agora, mais do que nunca, nossa cultura alimenta a chama do ego. Falar e se envaidecer nunca foi tão fácil. Podemos nos gabar de nossos objetivos para milhões de fãs e seguidores — um luxo que no passado ficava reservado a astros do rock e líderes de seitas. Podemos seguir e interagir com nossos ídolos no Twitter, ou ler livros, sites e assistir a palestras do TED, nos afogar em inspiração e validação como nunca fizemos antes (existe um aplicativo para isso). Podemos nos autointitular CEO de uma empresa que só existe no papel; anunciar boas notícias nas redes sociais e simplesmente esperar que os elogios comecem a chover; publicar artigos sobre nós mesmos em veículos de comunicação que antes eram fontes de jornalismo objetivo.

Alguns fazem isso mais do que outros. Mas é apenas uma questão de intensidade.

Além das mudanças tecnológicas, somos encorajados a acreditar em nossa singularidade acima de tudo. Estimulados a pensar grande, viver grande, ser memoráveis e "ousar muito". Achamos que o sucesso requer uma visão arrojada ou algum plano arrebatador — afinal de contas, foi isso que os fundadores dessa empresa ou aquele time campeão supostamente fizeram. (Mas será que fizeram? Fizeram mesmo?) Assistimos na mídia empreendedores bem-sucedidos e pessoas que se gabam por correrem grandes riscos e então, ávidos por sucesso pessoal, tentamos dissecar esses exemplos para apreender a atitude e a postura certas.

Intuímos uma relação causal que não existe. Presumimos que as consequências do sucesso são o próprio sucesso — e, em nossa ingenuidade, confundimos o subproduto com a causa. É claro que o ego deu certo para alguns. Muitos dos homens e das mulheres famosos da história eram notoriamente egocêntricos. Mas muitos dos maiores fracassos também foram consequências disso. Na verdade, as tentativas fracassadas são a maioria. Mas aqui estamos nós com uma cultura que nos encoraja a rolar os dados, a fazer a aposta, ignorando os riscos.

O QUE QUER QUE VOCÊ SEJA,
O EGO TAMBÉM É.

Em qualquer momento da vida, as pessoas se encontram em um de três estágios. Estamos aspirando a algo — tentando abrir uma brecha no universo. Alcançamos o sucesso — talvez um pouco, talvez muito. Ou fracassamos — recente ou continuamente. A maioria de nós se encontra em fluxo nesses três estados — aspiramos até alcançarmos o sucesso, temos sucesso até fracassarmos ou até aspirarmos a mais, e depois que fracassamos podemos começar a aspirar a ou alcançar o sucesso outra vez.

O ego é o inimigo a cada passo do caminho. De certo modo, ele é o inimigo da construção, da manutenção e da recuperação. Quando as coisas vêm rápido e fácil, pode ser ótimo. Mas em momentos de mudança, de dificuldade...

Assim, este livro é organizado em três partes: Aspiração, Sucesso e Fracasso.

INTRODUÇÃO

O objetivo dessa estrutura é simples: ajudar a sufocar o ego antes que os maus hábitos se consolidem; substituir por humildade e disciplina as tentações do ego que surgirem quando experimentarmos o sucesso; e cultivar força e coragem, de modo que, quando o destino se voltar contra você, você não seja arruinado pelo fracasso. Resumindo, essa estrutura poderá nos ajudar a ser:

- humildes em nossas aspirações;
- generosos em nossos sucessos;
- resilientes em nossos fracassos.

Isso não quer dizer que você não seja único e que não tenha nada de incrível com que contribuir em sua breve passagem por este planeta. Não quer dizer que não haja espaço para ultrapassar limites criativos, inventar, sentir-se inspirado ou ter mudanças e inovações verdadeiramente ambiciosas como meta. Pelo contrário: para fazermos essas coisas da melhor maneira e corrermos tais riscos, precisamos de equilíbrio. Como observou o quaker William Penn: "Construções que se encontram tão expostas às intempéries precisam de uma boa fundação."

E AGORA?

Este livro que você tem em mãos foi escrito em torno de uma suposição otimista: seu ego não é um tipo de força que você é compelido a saciar constantemente. Ele pode ser administrado. Pode ser direcionado.

Aqui, analisaremos indivíduos como William Tecumseh Sherman, Katharine Graham, Jackie Robinson, Eleanor Roosevelt, Bill Walsh, Benjamin Franklin, Belisarius, Angela Merkel e George C. Marshall. Eles poderiam ter conquistado o que conquistaram — salvado empresas que estavam à beira da falência; avançado na arte da guerra; integrado o beisebol; revolucionado o ataque do futebol americano; enfrentado a tirania; resistido bravamente ao infortúnio — se o ego tivesse tirado seus pés do chão e os deixado completamente absortos por interesses próprios? Foi seu senso de realidade e sua percepção — os quais, o autor e estrategista Robert Greene certa vez disse, devemos praticar continuamente do mesmo jeito que uma aranha faz com suas teias — que constituiu o núcleo de sua grande arte, grande escrita, grande design, grandes negócios, grande marketing e grande liderança.

O que descobrimos ao estudarmos esses indivíduos é que eles têm os pés no chão, são circunspectos e inexoravelmente reais. Não que nenhum deles estivesse completamente livre do ego. Mas eles sabiam restringi-lo, canalizá-lo e incorporá-lo quando era importante. Eles eram, ao mesmo tempo, grandes e humildes.

Espere um momento, mas fulano e sicrano tinham um grande ego e foram bem-sucedidos. O que dizer de Steve Jobs? E Kanye West?

Podemos tentar racionalizar os piores comportamentos apontando as exceções. Mas ninguém é realmente bem-sucedido *porque* é lunático, obcecado pelos próprios interesses e desconexo do restante. Mesmo que esses traços estejam relacionados ou associados a certos indivíduos famosos, o mesmo pode ser dito de outras características: vício, abuso (ou autoabuso), depressão, mania. Na verdade, o que vemos quando estudamos essas pessoas é que elas fizeram seu me-

INTRODUÇÃO

lhor trabalho nos momentos em que combateram esses impulsos, distúrbios e defeitos. Somente quando está livre do ego e das experiências passadas é que alguém pode usar todo o seu potencial.

Por isso, também vamos analisar indivíduos como Howard Hughes, o rei persa Xerxes, John DeLorean, Alexandre, o Grande, e todas as parábolas sobre outras pessoas que se desconectaram da realidade e, no processo, deixaram claro como o ego pode ser perigoso. Analisaremos as valiosas lições que aprenderam e todo o sofrimento e autodestruição com que tiveram que arcar. Veremos com que frequência até mesmo as pessoas mais bem-sucedidas vacilam entre a humildade e o ego, bem como os problemas que isso causa.

Quando eliminamos o ego, o que nos resta é a realidade. O que substitui o ego é a humildade — sim, mas uma humildade e uma confiança sólidas. Enquanto o ego é artificial, esse tipo de confiança consegue se sustentar. O ego é roubado. A confiança é conquistada. O ego é autoincensado, sua arrogância é um artifício. A confiança nos envolve, o ego nos manipula. É a diferença entre um remédio potente e um veneno.

Como você verá nas páginas seguintes, a autoconfiança transformou um general despretensioso e subestimado no principal combatente e estrategista da América durante a Guerra Civil. Contudo, depois da mesma guerra, o ego levou um general do topo do poder e da influência à destruição e à ignomínia. Em certas circunstâncias, o ego transforma uma cientista alemã calada e séria não apenas em um novo tipo de líder, mas em uma força da paz. Em outras, arrebata dois engenheiros diferentes mas igualmente brilhantes do século XX e os arremessa em um redemoinho de badalação e notoriedade antes de jogar suas esperanças contra as rochas do fracasso, da falência, do escândalo e da loucura. O ego foi capaz de guiar um dos piores times da história da NFL, Liga Nacional de Futebol Americano, até o Super Bowl ao longo de três temporadas, para então transformá-lo em uma das dinastias mais dominantes do esporte, ao passo que inúmeros técnicos, políticos, empreendedores e escritores superaram adversidades semelhantes apenas para sucumbir à probabilidade e repassar a coroa para outra pessoa.

Algumas pessoas aprendem a ter humildade. Outras escolhem o ego. Algumas estão preparadas para as vicissitudes do destino, tanto as positivas quanto as negativas. Outras não estão. O que você escolherá? Quem você será?

Você pegou este livro porque sente que em algum momento precisará responder a essa pergunta, seja de maneira consciente ou não.

Bem, aqui estamos. Vamos em frente.

PARTE I

ASPIRAÇÃO

Nesse estágio, estamos dispostos a fazer uma coisa. Temos um objetivo, um chamado, um novo começo. Cada grande jornada começa aqui — no entanto, muitos de nós nunca chegarão ao destino pretendido. O ego, na maioria das vezes, é o culpado. Nós nos fortalecemos com histórias fantásticas, fingimos ter entendido tudo, deixamos nossa estrela brilhar só para então se apagar, e não fazemos ideia de por que isso aconteceu. Esses são os sintomas do ego. Sua cura são a humildade e a realidade.

Ele é um cirurgião ousado, dizem, cujas mãos não tremem ao fazer uma operação em si mesmo; e ele costuma ser igualmente ousado ao não hesitar em erguer o misterioso véu da autoilusão, que esconde de sua visão as deformidades da própria conduta.

— ADAM SMITH

Em algum momento por volta do ano 374 a.C., Isócrates, um dos professores e retóricos mais conhecidos de Atenas, escreveu uma carta para um jovem chamado Demônico. Isócrates havia sido amigo do pai recém-falecido do rapaz e queria lhe dar alguns conselhos sobre como seguir o exemplo de seu pai.

Os conselhos abrangiam tanto a vida prática quanto a moralidade — todos comunicados através do que Isócrates descreveu como "máximas nobres". Em suas palavras, eram "preceitos para os anos vindouros".

Tal qual muitos de nós, Demônico era ambicioso. Foi isso que levou Isócrates a lhe escrever, pois o caminho da ambição pode ser perigoso. Isócrates começou informando o jovem de que "nenhum adorno lhe cai tão bem como a modéstia, a justiça e o autocontrole; visto que essas são as virtudes por meio das quais, como todos os homens concordam, a natureza do jovem é refreada".

O EGO É SEU INIMIGO

"Pratique o autocontrole", ele disse, alertando Demônico sobre o perigo de se deixar levar pela força do "temperamento, do prazer e da dor". E "abomine bajuladores do mesmo modo que faria com trapaceiros; pois que ambos, conquistada a confiança, ferem quem neles confia".

Isócrates queria que ele fosse "afável em seu trato com aqueles que o abordarem, e jamais soberbo; pois que até os escravos têm dificuldade de suportar o orgulho do arrogante" e "lento na deliberação, mas rápido na execução de suas decisões", acrescentando que "a melhor coisa que temos em nós é o bom julgamento". Treine constantemente seu intelecto, ele instruiu, "pois o que há de mais grandioso na menor das bússolas é uma mente sã em um corpo humano".

É possível que alguns desses conselhos soem familiares, já que dois mil anos depois eles chegaram a William Shakespeare, que costumava alertar contra o ego desenfreado. Usando essa mesma carta como modelo em *Hamlet*, Shakespeare coloca as palavras de Isócrates na boca do personagem Polônio em um diálogo com seu filho Laertes. O discurso, caso você não conheça, termina com esta pequena estrofe:

E, acima de tudo, sê fiel a ti mesmo
Pois então, como a noite e o dia,
Tu não poderás ser falso para com homem nenhum.
Adeus. Que minha bênção amadureça isso em ti!

As palavras de Shakespeare, por sua vez, chegaram a um jovem oficial militar dos Estados Unidos chamado William Tecumseh Sherman, que viria a se tornar talvez o maior general e estrategista daquele país. É possível que ele nunca tenha

ASPIRAÇÃO

ouvido falar de Isócrates, mas amava a peça e inúmeras vezes citou esse mesmo discurso.

Assim como o pai de Demônico, o de Sherman morreu quando ele era ainda muito jovem. E como Demônico, ele foi tomado sob a proteção de um homem mais sábio e mais velho, Thomas Ewing, um amigo de seu pai que logo iria se tornar um senador norte-americano. Ewing adotou o menino e o criou como se fosse seu filho.

O interessante a respeito de Sherman é que, apesar de ter um pai tão influente, era quase impossível prever que suas realizações extrapolariam o âmbito regional — e muito menos que um dia ele tomaria a decisão sem precedentes de *recusar a presidência dos Estados Unidos*. Ao contrário de Napoleão, que surgiu do nada e desapareceu fracassado de forma igualmente rápida, a ascensão de Sherman foi lenta e gradual.

Ele passou os primeiros anos de sua vida em West Point, e depois, no exército. Nos primeiros anos de serviço militar, percorreu quase todo o território dos Estados Unidos a cavalo, aprendendo lentamente a cada parada. Assim que irromperam os primeiros conflitos da Guerra Civil, Sherman seguiu para o leste a fim de se apresentar como voluntário e logo foi empregado na Batalha de Bull Run, uma derrota particularmente desastrosa para a União. Beneficiando-se da grande escassez de lideranças, ele foi promovido a general de brigada e convocado para uma reunião com o presidente Lincoln e seu principal conselheiro militar. Porém, em diversas ocasiões, Sherman exibiu autonomia suficiente para traçar estratégias e planos diretamente junto ao presidente, mas no final da viagem fez um estranho pedido: só aceitaria a promoção com a garantia de que *não* teria de assumir um cargo mais alto na hierarquia.

O EGO É SEU INIMIGO

Lincoln poderia lhe dar sua palavra em relação a isso? Com todos os outros generais pedindo as maiores patentes e o máximo possível de poder, o presidente concordou de bom grado.

Àquela altura, Sherman sentia-se mais confortável como o segundo em comando. Ele achava que conhecia bem as próprias capacidades e que esse papel lhe caía melhor. Você consegue imaginar uma pessoa ambiciosa recusando a chance de avançar em suas responsabilidades porque quer estar preparada para elas? Isso é mesmo tão louco assim?

Não que Sherman sempre tenha sido o modelo perfeito do comedimento e da ordem. No início da guerra, encarregado de defender o estado de Kentucky com um número insuficiente de tropas, sua obsessão e sua tendência de duvidar de si mesmo se uniram de um modo perverso. Gritando furiosamente por estar sem recursos, incapaz de enxergar para além dos próprios medos, paranoico em relação aos movimentos do inimigo, ele perdeu a compostura e falou de maneira imprudente com muitos jornalistas. Na controvérsia que se seguiu, foi temporariamente removido do comando. Precisou de semanas para se recuperar. Foi um dos poucos momentos em que sua carreira chegou ao limiar da catástrofe, pois de resto sua trajetória se caracterizou pela ascensão contínua.

Foi depois desse breve tropeço — e de ter aprendido com ele — que Sherman de fato deixou sua marca. Por exemplo, durante o cerco de Fort Donelson, ele ocupou, tecnicamente, um posto superior ao do general Ulysses S. Grant. Enquanto os outros generais de Lincoln brigavam entre si por poder e reconhecimento pessoal, Sherman abriu mão da patente, preferindo de bom grado ajudar e fortalecer Grant em vez de dar ordens. "Este é o seu show", disse Sherman a Grant em um bilhete que

ASPIRAÇÃO

acompanhou o carregamento de suprimentos; "se eu puder ajudar de algum modo, mande me chamar." Juntos, eles foram os responsáveis por uma das primeiras vitórias da União na guerra.

Construindo seu sucesso, Sherman começou a promover sua famosa Marcha ao Mar — um plano estrategicamente corajoso e audaz, nascido não de um gênio criativo, mas sim do conhecimento profundo da topografia que ele explorara e estudara como um jovem oficial no que outrora era considerado um inútil posto avançado nos confins do país.

Sherman, então, tinha confiança em pontos que antes tratara com cautela. Mas, ao contrário de tantos outros que alimentam grandes ambições, ele *conquistou* essa aptidão. Enquanto traçava um caminho de Chattanooga a Atlanta, e depois de Atlanta até o mar, ele se esquivou de batalhas tidas como inevitáveis, uma após outra. Qualquer estudante da história militar pode enxergar como a mesma invasão, se motivada pelo ego e não por um senso exato de propósito, poderia ter tido um fim muito diferente.

Seu senso de realidade lhe permitiu ver um caminho através do Sul que os outros julgavam impossível. Toda a sua teoria de guerra de manobra repousava na decisão de evitar deliberadamente ataques frontais ou demonstrações de força na forma de batalhas campais, bem como ignorar as críticas feitas com o objetivo de provocar uma reação. Ele não prestou atenção em nada disso e se ateve ao seu plano.

No fim da guerra, Sherman era um dos homens mais famosos dos Estados Unidos, e mesmo assim não buscou cargos públicos, não demonstrou interesse pela política, desejando apenas fazer seu trabalho e um dia se aposentar. Dispensando os constantes elogios e atenções característicos de tamanho sucesso, escreveu um alerta para seu amigo Grant: "Seja natural, seja você mesmo, e essas lisonjas serão como a brisa passageira do mar em um dia quente de verão."

Um dos biógrafos de Sherman captou o homem e suas realizações únicas em uma passagem notável. É por causa dela que ele serve de modelo nesta fase da nossa escalada.

Entre os homens que ascendem à fama e à liderança, podemos reconhecer dois tipos: aqueles que acreditam em si mesmos desde o berço e aqueles em que isso se desenvolve lentamente, dependendo de realizações concretas. Para os homens do último tipo, seu próprio sucesso é uma surpresa constante, e seus frutos são os mais deliciosos, ainda que sejam saboreados de maneira prudente e com a desconfiança inquietante de que tudo não passa de um sonho. Nessa dúvida está a verdadeira modéstia, e não a dissimulação da autodepreciação insincera, mas a modéstia da "moderação", no sentido grego. É aprumo, não pose.

Devemos nos perguntar: se a crença em si mesmo *não* se baseia em realizações concretas, então em que se baseia? Quando estamos apenas começando, muitas vezes a resposta é em *nada*. Ego. E é por isso que assistimos com tanta frequência a ascensões incríveis seguidas de quedas calamitosas.

Então, que tipo de pessoa você será?

Como todos nós, Sherman precisou equilibrar talento, ambição e intensidade, sobretudo quando era jovem. Balancear com proeza essa equação foi, em grande parte, o motivo por que ele conseguiu administrar o sucesso que no final das contas modificou sua vida.

ASPIRAÇÃO

É provável que isso soe estranho. Enquanto Isócrates e Shakespeare desejavam que fôssemos independentes, automotivados e governados por princípios, a maioria de nós foi treinada para fazer o oposto. Nossos valores culturais quase tentam nos tornar dependentes da validação e da ideia de merecimento e governados por nossas emoções. Durante uma geração, pais e professores se concentraram no desenvolvimento da *autoestima* de todos. Daí em diante, os temas de nossos gurus e de nossas figuras públicas tinham como objetivo quase que exclusivo nos inspirar, encorajar e garantir que poderíamos fazer qualquer coisa que nos passasse pela cabeça.

Na realidade, isso nos enfraquece. Sim, você, com todo seu talento e potencial de "menino prodígio" ou de "garota que vai longe". Damos por certo o seu potencial. Foi por isso que você conseguiu a vaga na universidade de prestígio que hoje frequenta, que conseguiu o financiamento para o seu negócio, que foi contratado ou promovido, que qualquer oportunidade que possa ter tido caiu em seu colo. Como disse Irving Berlin: "O talento é o ponto de partida." A questão é: você vai conseguir extrair o máximo dele? Ou ele será seu pior inimigo? Você vai apagar a chama que estava começando a crescer?

O que vemos em Sherman é a conexão profunda de um homem com a realidade. Era um homem que veio do nada e realizou coisas grandiosas, sem nunca considerar as honras que recebeu como um direito seu. Na verdade, ele costumava ceder as honras aos outros, e estava mais do que satisfeito em contribuir com um time vencedor, mesmo que isso implicasse em menos crédito ou fama para si mesmo. É triste pensar que gerações de jovens aprenderam sobre o glorioso ataque de cavalaria de Pickett, um ataque dos Confederados que *fracassou*, enquanto o modelo de Sherman, um realista tranquilo e nada glamouroso, foi esquecido — ou, pior ainda, difamado.

Pode-se dizer que a capacidade de autoavaliar nossas próprias habilidades é o maior talento de todos. Sem ela, o aperfeiçoamento se torna impossível. E, sem dúvidas, o ego sempre dificulta cada passo que se dá nesse sentido. É claro que é mais agradável nos concentrarmos em nossos talentos e pontos fortes, mas aonde isso nos leva? A arrogância e a concentração exclusiva no "eu" inibem o crescimento. O mesmo pode ser dito da fantasia e da "visão".

Nesta etapa, você deve praticar olhar para si mesmo a uma pequena distância, cultivando a capacidade de enxergar além dos próprios pensamentos. O distanciamento de si mesmo é um antídoto natural contra o ego. É *fácil* se envolver emocionalmente e se encantar com o próprio trabalho. Todo e qualquer narcisista pode fazer isso. O que é raro não é o talento, a habilidade ou a confiança em seu estado bruto, mas a humildade, a diligência e o autoconhecimento.

Para que seu trabalho seja verdadeiro, ele precisa provir da verdade. Se você deseja que seu sucesso seja mais do que uma centelha efêmera, precisa estar preparado para se concentrar a longo prazo.

Aprenderemos que, apesar de *pensarmos* grande, precisamos agir e viver pequeno se quisermos conquistar o que buscamos. Porque, se nos concentrarmos na *ação* e na *educação*, deixando de lado a validação e o status, nossa ambição não será grandiosa, mas iterativa — um pé na frente do outro, aprendendo, crescendo e se dedicando.

ASPIRAÇÃO

Com sua agressividade, intensidade, autocentramento e autopromoção sem limites, nossos concorrentes não se dão conta do risco a que submetem os próprios esforços (para não mencionar a sanidade). Nós desafiaremos o mito do gênio confiante, que não conhece a dúvida nem a introspecção, assim como desafiaremos o mito do artista sofrido e torturado que precisa sacrificar a saúde em nome do trabalho. Enquanto eles estão desconectados da realidade e das outras pessoas, nós estaremos profundamente conectados, conscientes e aprendendo com tudo.

Fatos são melhores do que sonhos, como disse Churchill.

Embora compartilhemos com muitos outros uma *visão* de grandeza, compreendemos que nosso *caminho* rumo a ela é muito diferente do deles. No rastro de Sherman e Isócrates, entendemos que o ego é nosso inimigo nessa jornada, de modo que, quando alcançarmos o sucesso, ele não nos afundará, mas nos tornará mais fortes.

BLÁ, BLÁ, BLÁ

Aqueles que sabem não falam.
Aqueles que falam não sabem.

— LAO TZU

Em sua famosa campanha de 1934 para o governo da Califórnia, o autor e ativista Upton Sinclair tomou uma atitude incomum. Antes da eleição, publicou um pequeno livro intitulado *I, Governor of California and How I Ended Poverty* [Eu, governador da Califórnia, e como acabei com a pobreza], em que resumia, no pretérito, as brilhantes políticas que empregara como governador... cargo que ainda não conquistara.

Foi uma estratégia nada ortodoxa para uma campanha igualmente diferente, cujo intuito era lançar mão do ponto mais forte de Sinclair — como autor, ele sabia que conseguiria se comunicar com o público de um jeito que os outros não conseguiam. Acontece que a campanha de Sinclair não parecia nada promissora quando ele publicou o livro. Mas os observadores da época identificaram imediatamente o efeito que a publicação teve — não nos eleitores, mas no próprio

Sinclair. De acordo com as palavras de Carey McWilliams ao escrever a respeito da campanha do amigo quando ela já degringolava: "Upton não apenas percebeu que seria derrotado, mas pareceu ter perdido o interesse pela campanha. Naquela vívida imaginação que tinha, ele já havia atuado no papel de 'Eu, governador da Califórnia...', então por que se incomodar em vivê-lo na vida real?"

O livro foi um campeão de vendas, enquanto a campanha foi um fracasso. Sinclair perdeu por algo como 250 mil votos (uma margem de mais de 10 pontos percentuais); ele foi dizimado no que, provavelmente, foi a primeira eleição moderna. Não há dúvidas do que aconteceu: sua fala passou à frente da campanha, e a determinação para chegar ao outro lado acabou. A maioria dos políticos não escreve livros como aquele, mas se precipita da mesma maneira.

É uma tentação que todos conhecemos: a de substituir a ação por palavras e por alarde.

Uma caixa de texto em branco: "No que você está pensando?", pergunta o Facebook. "O que está acontecendo?", questiona o Twitter. Tumblr. LinkedIn. Nossa caixa de e-mails, nossos iPhones, a seção de comentários no fim do artigo que você acabou de ler.

Espaços em branco, implorando para serem preenchidos com pensamentos, fotos e histórias. Preenchidos com o que *vamos* fazer, com as coisas que *deveríamos* ou *poderíamos* ser, com o que esperamos que aconteça. É a tecnologia pedindo, provocando, solicitando a *fala*.

Quase universalmente, o tipo de performance que apresentamos nas redes sociais é *positiva*. Na maioria das vezes, é "Vou contar como as coisas estão indo bem. Veja como sou incrí-

BLÁ, BLÁ, BLÁ

vel". E raramente é a verdade: "Sinto medo. Estou com dificuldades. Não sei."

No início de qualquer jornada, nós nos sentimos anima-
dos e nervosos. Então, buscamos conforto externo, e não
interno. Todos nós temos um lado fraco que — feito um sindicato — não é exatamente mal-intencionado, mas, ainda
assim, no final do dia quer receber o máximo de crédito e
atenção pública por ter feito o mínimo. Nós chamamos esse
lado de ego.

Emily Gould, escritora e antiga blogueira do Gawker
— se já existiu alguma Hannah Horvath na vida real, é ela
—, percebeu isso durante sua luta de dois anos para publicar um romance. Embora tenha conseguido um acordo de
seis dígitos para a publicação do livro, ela ficou estagnada.
Por quê? Estava ocupada demais "passando muito tempo na
Internet".

Na verdade, não consigo me lembrar de mais nada que eu
tenha feito em 2010. Eu publicava no Tumblr, escrevia
tweets, rolava a barra. Isso não me rendeu nenhum dinheiro, mas parecia trabalho. Eu justificava esses hábitos para
mim mesma de várias maneiras. Estava construindo a minha marca. Blogar era um ato criativo — até mesmo a
ação de "curadoria" de republicar o post de outra pessoa
era um ato criativo, de certa forma. Isso era a única coisa
criativa que eu estava fazendo.

Em outras palavras, ela fez o que muitos de nós fazemos
quando estamos assustados ou intimidados por um projeto: ela
fez tudo, *exceto* se concentrar no necessário. O romance pro-

priamente dito, que ela deveria estar escrevendo, ficou completamente estacionado. Durante um ano.

Era mais fácil falar sobre escrever, fazer as coisas empolgantes relacionadas à arte, à criatividade e à literatura, do que se comprometer com o ato em si. E ela não é a única. Alguém recentemente publicou um livro chamado *Working On My Novel* [Trabalhando em meu livro] cheio de publicações das redes sociais de escritores que obviamente *não* estão trabalhando em seus livros.

Como tantos atos criativos, escrever é difícil. Sentar-se, começar a escrever, ficar furioso consigo mesmo, furioso porque o material não está bom o suficiente e *você* não está bom o suficiente. Aliás, muitos empreendimentos valiosos que iniciamos são dolorosamente difíceis, seja programar uma nova startup ou dominar uma profissão. Mas ficar de blá-blá-blá é sempre fácil.

Parece que nós pensamos que o silêncio é um sinal de fraqueza, que ser ignorado equivale à morte (o que é verdade, no que diz respeito ao ego). Então, nós falamos, falamos, falamos como se a nossa vida dependesse disso.

Na verdade, silêncio é força — sobretudo no início de uma jornada. Como alerta o filósofo Kierkegaard (por acaso, alguém que detestava os jornais e sua ladainha): "A mera tagarelice antecipa a fala real, e expressar o que ainda está no pensamento enfraquece a ação por antecipá-la."

E é isso que é tão traiçoeiro na *fala*. Qualquer um pode falar de si. Até uma criança sabe jogar conversa fora e tagarelar. A maioria das pessoas se sai bem na promoção e nas vendas. Então, o que é escasso e raro? O silêncio. A capacidade de, deliberadamente, manter-se fora da conversa e subsistir sem a sua validação. O silêncio é o descanso dos fortes e dos que têm confiança em si.

Sherman tinha uma boa regra que tentava seguir: "Nunca se justifique pelo que pensa ou faz, a não ser que seja preciso. Talvez, depois de algum tempo, uma explicação melhor simplesmente apareça na sua cabeça." O grande jogador de beisebol e futebol americano Bo Jackson decidiu que queria conquistar duas coisas como atleta na Universidade de Auburn, no Alabama: ele ganharia o Troféu Heisman e seria o primeiro convocado pela NFL. Você sabe a quem ele contou isso? Só à namorada.

A flexibilidade estratégica não é o único benefício do silêncio enquanto os outros tagarelam. Também é psicologia. O poeta Hesíodo tinha isso em mente quando disse: "O maior tesouro de um homem é uma língua econômica."

A fala nos exaure. Falar e fazer brigam pelos mesmos recursos. Pesquisas mostram que, embora a visualização de um objetivo seja importante, depois de algum tempo nossa mente começa a confundi-la com o progresso propriamente dito. O mesmo se aplica à verbalização. Observou-se que até mesmo o hábito de falarmos sozinhos enquanto trabalhamos em problemas difíceis diminui a concentração e a chance de fazermos descobertas importantes. Depois de passarmos muito tempo pensando, explicando e falando sobre uma tarefa, somos levados a pensar que estamos mais perto de sua solução. Ou pior, quando as coisas ficam difíceis, achamos que podemos descartar todo o projeto, porque já investimos tudo o que podíamos nele, apesar de isso, obviamente, não ser verdade.

Quanto mais difícil a tarefa, mais incerto será o resultado, mais custosa será a fala e mais longe estaremos de uma responsabilização concreta. A fala esgota a energia de que necessitamos desesperadamente para conquistar o que Steven Pressfield chama de "Resistência" — o obstáculo existente entre nós e a expressão criativa. O sucesso requer 100% dos nossos esforços, e a fala filtra parte desses esforços antes mesmo de podermos usá-los.

Muitos de nós sucumbem a essa tentação — sobretudo quando nos sentimos sobrecarregados ou estressados, com muito trabalho pela frente. Em nossa fase de construção, a resistência será uma fonte constante de desconforto. Falar — ouvir a si mesmo ou se apresentar na frente de uma plateia — é quase uma terapia. *Acabei de passar quatro horas falando sobre determinada coisa. Isso não conta?* A resposta é não.

Fazer um bom trabalho é uma batalha. É exaustivo, é desmoralizante, é assustador — nem sempre, mas podemos nos sentir assim quando estamos mergulhados nele. Falamos para preencher o vazio e a incerteza. "O vazio", disse Marlon Brando, um ator bastante calado, se é que isso existe, "é aterrorizante para a maioria das pessoas". É quase como se fôssemos atacados ou confrontados pelo silêncio, especialmente quando permitimos que o ego nos engane ao longo dos anos. E isso é prejudicial por uma razão: os melhores trabalhos e as melhores obras de arte vêm da *luta* contra o vazio, de enfrentá-lo em vez de fugir dele. A questão é: ao se encontrar diante do seu desafio particular — seja a pesquisa em uma nova área, fundar um novo negócio, produzir um filme, conquistar um mentor, promover uma causa importante —, você busca o alívio da fala ou encara a luta?

Pense nisto: *a voz de uma geração* não se proclama como tal. Na verdade, pensando bem, percebemos quão *pouco* essa voz parece falar. É uma canção, é um discurso, é um livro — o volume do trabalho pode ser pequeno, mas o que há dentro dele é concentrado e impactante.

São pessoas que trabalham em silêncio e isoladas. Elas transformam sua inquietude interior em um produto — e, eventualmente, em tranquilidade. Ignoram o impulso de buscar o reconhecimento antes da ação. Não falam muito. Nem dão espaço para a sensação de que quem está diante do público, gozando dos holofotes, de algum modo está saboreando o melhor lado da moeda. (Não está.) Essas pessoas estão ocupadas demais trabalhando para fazer qualquer outra coisa. Quando falam, é porque *merecem*.

A única relação entre a fala e o trabalho é que uma mata o outro.

Deixe que os outros se congratulem entre si enquanto você está de volta ao laboratório, ou na academia, ou procurando um emprego. Tape esse buraco — aquele mesmo, bem no meio do seu rosto — que pode sugar a sua força vital. Observe o que acontece. Observe quão melhor você ficará.

SER OU FAZER?

Neste período de formação, a alma ainda não foi
maculada pela guerra contra o mundo. Ela repousa
como um bloco de puro mármore de Paros, pronto
para ser moldado — mas em quê?

— ORISON SWETT MARDEN

Um dos estrategistas e profissionais mais famosos da arte da guerra moderna é alguém sobre quem a maioria das pessoas nunca ouviu falar. Seu nome é John Boyd.

Ele era um ótimo piloto de caça, mas era melhor ainda como professor e pensador. Depois de ter voado na Coreia, ele se tornou o principal instrutor da Fighter Weapons School, uma escola de elite na Base Aérea de Nellis. Era conhecido como "Quarenta Segundos Boyd" — o que significava que podia derrotar qualquer oponente, em qualquer posição, em menos de quarenta segundos. Alguns anos depois, Boyd foi convocado sem alarde pelo Pentágono, onde seu verdadeiro trabalho teve início.

Por um lado, o fato de a maioria das pessoas nunca ter ouvido falar de John Boyd não surpreende. Ele nunca publicou nenhum livro e escreveu um único artigo acadêmico. Apenas alguns vídeos seus sobreviveram, e ele foi raramente citado na mídia. Apesar de trinta anos de um serviço impecável, Boyd não passou da patente de coronel.

Por outro lado, suas teorias transformaram a guerra de manobra em quase todos os departamentos das forças armadas, e não apenas em vida, mas mais ainda depois de sua morte. Os caças F-15 e F-16, que reinventaram as aeronaves militares modernas, foram seus projetos de estimação. Sua principal atuação era como conselheiro; por meio de instruções lendárias, ele ensinou e treinou quase todos os principais pensadores militares de uma geração inteira. Sua colaboração com os planos de guerra para a Operação Escudo do Deserto veio em uma série de encontros pessoais com o secretário de Defesa, e não por intermédio de canais públicos ou oficiais. Seu principal meio de levar uma mudança a cabo era pela coleção de pupilos que orientava, protegia, ensinava e inspirava.

Não existem bases militares batizadas em sua homenagem. Nenhum navio de guerra. Ele se aposentou acreditando que seria esquecido, e possuía apenas um pequeno apartamento e uma pensão em seu nome. É quase certo que tivesse mais inimigos do que amigos.

Um caminho incomum. E se essa trajetória tiver sido deliberada? E se o tornou *mais* influente? Quão louco isso seria?

Na verdade, Boyd estava simplesmente aplicando a mesma lição que tentava ensinar a cada jovem promissor tomado sob sua asa, o qual ele sentia ter potencial para se tornar alguma coisa importante, que faria alguma diferença. As estrelas em ascensão que ele ensinou provavelmente têm muito em comum conosco.

SER OU FAZER?

O discurso que Boyd fez para um pupilo em 1973 deixa isso claro. Pressentindo o que sabia que seria uma encruzilhada na vida do jovem oficial, Boyd o chamou para uma reunião. Como muitos profissionais de alto desempenho, o soldado era inseguro e impressionável. Ele queria ser promovido e se sair bem. Era uma folha que podia ser soprada em qualquer direção, e Boyd sabia disso. Então, naquele dia, ele ouviu um discurso que Boyd repetiria várias vezes, até se tornar uma tradição e um rito de passagem para uma geração de líderes militares transformadores.

"Tigre, um dia você chegará a uma bifurcação na estrada", disse Boyd. "E precisará decidir para que lado quer ir." Usando as mãos para ilustrar, Boyd indicou as duas direções. "Se quiser ir para aquele lado, poderá se tornar alguém. Você precisará fazer acordos e virar as costas para seus amigos. Mas será um membro do clube, será promovido e receberá boas missões." Em seguida, Boyd fez uma pausa para deixar clara a alternativa: "Ou", disse ele, "você pode ir para aquele lado e fazer alguma coisa — alguma coisa por seu país, por sua Força Aérea e por si mesmo. Se decidir que quer fazer alguma coisa, talvez você não seja promovido e talvez não receba boas missões, e com certeza não será um dos favoritos de seus superiores. Mas não vai precisar se comprometer. Será leal a seus amigos e a si mesmo. E seu trabalho fará diferença. Ser alguém ou fazer alguma coisa. Na vida, muitas vezes nos deparamos com um chamado. É aí que precisamos fazer uma escolha."

E então Boyd concluiu com palavras que guiariam aquele jovem e muitos de seus colegas pelo resto de suas vidas. "Ser ou fazer? Para que lado você vai?"

O EGO É SEU INIMIGO

O que quer que você busque na vida, a realidade não demora a interferir no idealismo de sua juventude. A realidade pode ter muitos nomes e formas: incentivos, compromissos, reconhecimento e políticas. Em todos os casos, ela pode rapidamente nos desviar de *fazer* para *ser*. De *conquistar* para *fingir*. O ego alimenta essa ilusão a cada passo do caminho. Era por isso que Boyd queria que os jovens vissem que, se não tomarmos cuidado, até mesmo o cargo que desejamos ocupar é capaz de nos corromper.

Como evitar o desvio? Muitas vezes, nós nos apaixonamos por uma *imagem* do que acreditamos ser o sucesso. No mundo de Boyd, a quantidade de estrelas em seu ombro ou a natureza de uma tarefa e sua localização poderiam facilmente ser confundidas como um indicador de conquista. Para outras pessoas, é o título do emprego, a faculdade de administração que frequentaram, o número de assistentes que possuem, a localização de sua vaga no estacionamento, os subsídios que recebem, seu acesso ao CEO, o tamanho de seu contracheque ou o número de fãs que têm.

As aparências enganam. *Ter* autoridade não é a mesma coisa que *ser* uma autoridade. *Ter* o direito e *ser* direito tampouco são a mesma coisa. Ser promovido não significa, necessariamente, que se está fazendo um bom trabalho, ou que sequer se tenha merecido a promoção (eles chamam isso de fracasso ascendente em alguns sistemas burocráticos). *Impressionar as pessoas é algo completamente diferente de ser de fato impressionante.*

Então, com quem você está? Que lado escolherá? Essa é a escolha que a vida nos obriga a fazer.

Boyd tinha outro exercício. Ao visitar ou conversar com grupos de oficiais da Força Aérea, ele escrevia em letras gran-

SER OU FAZER?

des no quadro-negro: DEVER, HONRA, NAÇÃO. Em seguida, riscava essas palavras e as substituía por três outras: ORGULHO, PODER, GANÂNCIA. O que ele queria dizer era que muitos dos sistemas e das estruturas das forças militares — aqueles pelos quais os soldados navegam a fim de seguir em frente — podem corromper os próprios valores a que eles deveriam servir. O historiador Will Durant tinha um dito espirituoso: uma nação nasce estoica e morre epicurista. Essa é a triste verdade que Boyd ilustrava, a de como valores positivos azedam.

Quantas vezes vimos isso acontecer durante nossas vidas — nos esportes, nos relacionamentos, com projetos ou pessoas que são extremamente importantes para nós? É isso que o ego faz. Ele risca o que importa e substitui pelo que não tem importância.

Muitas pessoas querem mudar o mundo, e isso é bom. Você quer ser o melhor no que faz. Ninguém *quer* ser um profissional de fachada. Mas, em termos práticos, quais das três palavras que Boyd escrevia no quadro-negro vão fazer você chegar lá? Quais você está praticando agora? Quais o estão alimentando?

A decisão que Boyd nos apresenta se resume a um propósito. *Qual é o seu propósito? Você está aqui para fazer o quê?* Pois o propósito nos ajuda a responder com muita facilidade à pergunta "Ser ou fazer?". Se o que importa é *você* — sua reputação, sua inclusão, sua tranquilidade pessoal —, o caminho está claro: diga aos outros o que eles querem ouvir. Busque atenção, e não o trabalho discreto, porém importante. Diga sim às promoções e siga o caminho que as pessoas talentosas costumam seguir na indústria ou no campo que escolheram.

Cumpra com seus deveres, marque os quadradinhos, dedique-se e deixe as coisas essencialmente como são. Busque sua fama, seu salário, seu título, e saboreie tais conquistas.

"Um homem é moldado pelo trabalho que faz", afirmou Frederick Douglass. E o fez com conhecimento de causa, pois foi um escravo e viu o que a escravidão fazia com todos os envolvidos, inclusive os próprios *donos de escravos*. Depois que se tornou um homem livre, Douglass viu que o mesmo se aplicava às escolhas que as pessoas faziam em suas carreiras e em suas vidas. O que você escolhe fazer com seu tempo e o que escolhe fazer para ganhar dinheiro moldam você. O caminho do egocêntrico requer, como sabia Boyd, muito comprometimento.

Se seu propósito é algo maior do que você — realizar algo, provar algo para si —, então, de repente, tudo se torna ao mesmo tempo mais fácil e mais difícil. Mais fácil no sentido de que você agora sabe o que precisa fazer e o que é importante para você. As outras "escolhas" desaparecem, visto que, na realidade, não são realmente escolhas. São distrações. O que importa é *fazer*, e não o reconhecimento. Mais fácil no sentido de que você não precisa se comprometer. Mais difícil, porém, porque cada oportunidade — não importa quão gratificante ou recompensadora seja — deve ser avaliada de acordo com diretrizes rigorosas: Isto me ajudará no que me dispus a fazer? Isto *permitirá* que eu faça o que preciso fazer? Estou sendo egoísta ou altruísta?

Nesse caminho, a pergunta não é "O que você quer ser na vida?", mas "O que você quer conquistar na vida?". Deixando de lado o interesse egoísta, esse caminho pergunta: a que chamado isso atende? Quais princípios governam minhas

SER OU FAZER?

escolhas? Eu quero ser como todo mundo ou quero fazer algo diferente?

Em outras palavras, é mais difícil porque *tudo* pode parecer um comprometimento.

Embora nunca seja tarde demais, quanto mais cedo você fizer essas perguntas a si mesmo, melhor.

Boyd, sem dúvida, mudou e aperfeiçoou sua área de um modo que quase nenhum teórico havia feito desde Sun Tzu ou Von Clausewitz. Ele era conhecido como Genghis John por causa da maneira como nunca deixava obstáculos ou oponentes impedi-lo de fazer o necessário. Suas escolhas tinham um custo. Ele também era conhecido como o coronel do gueto por causa de seu estilo de vida frugal. Morreu com uma gaveta cheia de cheques não descontados dados a ele por empreiteiros particulares, cuja somatória chegava a milhares de dólares e que Boyd considerava subornos. O fato de ele nunca ter passado da patente de coronel não foi uma decisão sua: Boyd foi várias vezes impedido de receber promoções. Foi esquecido pela história como punição pelo trabalho que fez.

Pense nisso na próxima vez que se sentir merecedor de alguma coisa, na próxima vez que confundir seu sonho com fama. Pense em como pode estar à altura de um homem como esse.

Pense nisso sempre que se deparar com a escolha: *preciso* disso? Ou é só o meu ego falando? Você está pronto para tomar a decisão certa? Ou os prêmios ainda enchem seus olhos?

Ser ou fazer? A vida é uma escolha interminável.

TORNE-SE UM APRENDIZ

*Não deixe que o fantasma de ninguém volte para
dizer que meu treinamento não me serviu.*

— PLACA NA ACADEMIA DE TREINAMENTO DO
CORPO DE BOMBEIROS DE NOVA YORK

Era abril, no começo dos anos 1980, quando um único dia se tornou ao mesmo tempo o pesadelo de um guitarrista e o trabalho dos sonhos de outro. Sem aviso, os membros da ainda desconhecida banda Metallica se reuniram antes de uma sessão de gravação que haviam marcado em um armazém decadente de Nova York e informaram ao guitarrista Dave Mustaine que ele estava fora. Depois de poucas palavras, eles lhe entregaram uma passagem de ônibus de volta para São Francisco.

No mesmo dia, um jovem e competente guitarrista chamado Kirk Hammett, com pouco mais de vinte anos e membro de uma banda chamada Exodus, ficou com a vaga. Alguns dias depois de cair de paraquedas no meio de uma nova vida, ele fez seu primeiro show com o Metallica.

Era provável que esse fosse o momento pelo qual Hammett esperara a vida toda. E, de fato, era. Embora conhecido apenas em pequenos círculos na época, o Metallica era um grupo que parecia destinado a ir longe. Sua música já havia começado a desafiar os limites do thrash metal, e o estrelato batia à porta. Em poucos anos, eles seriam uma das maiores bandas do mundo, tendo chegado a vender mais de cem milhões de discos.

Foi por volta dessa época que Hammett descobriu algo que deve ter sido desmoralizante: apesar dos anos que havia passado tocando e de ter sido convidado para se juntar ao Metallica, ele não era tão bom quanto gostaria de ser. Em São Francisco, cidade onde morava, Kirk procurou um professor de guitarra. Em outras palavras, apesar de ter entrado para o grupo dos seus sonhos e de ter literalmente se tornado um profissional, ele insistia que precisava de mais instrução — que ainda era um aprendiz. O professor que ele procurou era famoso por ser um mestre dos mestres e por ter trabalhado com prodígios musicais como Steve Vai.

Joe Satriani, o cara que Hammett escolheu como instrutor, viria a ser reconhecido como um dos melhores guitarristas de todos os tempos e venderia mais de dez milhões de discos com sua música única e virtuosa. Ensinando em uma pequena loja de instrumentos musicais de Berkeley, o estilo de tocar de Satriani fazia dele uma escolha incomum para Hammett. Mas essa era a intenção: Kirk desejava aprender o que não sabia, reforçar seu entendimento básico a fim de poder continuar explorando o gênero musical que agora tinha a chance de praticar.

Satriani esclarece o que faltava a Hammett — certamente, não talento. "O principal lance com Kirk (...) era que ele era um guitarrista muito bom quando chegou. Ele já estava tocando a guitarra principal (...), já era o solista. Tinha uma ótima mão direita, conhecia a maioria dos acordes, só não tinha aprendido a tocar em um ambiente que lhe ensinasse todos os nomes e não sabia como conectar tudo."

Isso não quer dizer que as aulas foram pura diversão. Na verdade, Satriani explicou que o diferencial de Hammett era sua disposição para suportar o tipo de instrução que outros não suportariam. "Ele era um bom aluno. Muitos de seus amigos e contemporâneos saíam reclamando, achando que eu era um professor muito durão."

O sistema de Satriani era claro: haveria aulas semanais, lições a serem aprendidas e, se não fosse assim, Hammett estaria desperdiçando o tempo de todo mundo e não precisaria mais voltar. Assim, nos dois anos que se seguiram, Kirk fez o que Satriani pediu, retornando a cada semana para avaliações objetivas, para ser julgado e para treinar arduamente técnica e teoria musical no instrumento que logo estaria tocando na frente de milhares e, depois, dezenas de milhares e, por fim, centenas de milhares de pessoas. Mesmo depois desse período de dois anos de estudo, ele levaria para Satriani os *licks* e *riffs* que estava trabalhando com a banda, aprendendo a refrear o instinto por *mais*, aperfeiçoando a capacidade de fazer melhor com menos notas e se concentrando em *sentir* essas notas e expressá-las de maneira adequada. A cada vez, Kirk melhorava como instrumentista e como artista.

O poder de ser um aprendiz não significa apenas ter um período prolongado de instrução, mas também coloca o ego e a ambição nas mãos de outra pessoa. Um tipo de teto é imposto ao ego, pois o indivíduo sabe que não é melhor do que o "mestre" com quem aprende. Não está nem perto disso. Você respeita o mestre, você se subordina. Não pode fingir ou enganá-lo. Não dá para "trapacear" em um processo educativo; não existe outro atalho a não ser *aprender* todos os dias. Se você não aprender, está fora.

Não gostamos de pensar que alguém é melhor do que nós. Ou que ainda temos muito a aprender. Queremos pensar que chegamos ao fim de nosso aprendizado. Queremos estar prontos. Estamos ocupados e sobrecarregados. Por isso, realocar os próprios talentos a um patamar inferior após uma autoavaliação é uma das coisas mais difíceis de se fazer na vida — mas é quase sempre um componente da maestria. Fingir conhecimento é um de nossos vícios mais perigosos, pois nos impede de melhorar. Uma autoavaliação meticulosa é o antídoto para isso.

O resultado, não importa qual seja seu gosto musical, foi que Hammett se tornou um dos grandes guitarristas de metal do mundo, fazendo com que o thrash metal passasse de um movimento underground a um gênero musical global. E não apenas isso, mas, por meio dessas aulas, Satriani aperfeiçoou sua própria técnica e se tornou muito melhor. Tanto o aluno quanto o professor encheriam estádios e transformariam o cenário musical.

Frank Shamrock, pioneiro das artes marciais mistas (MMA) e várias vezes campeão, tem um sistema que usa para treinar lutadores e que chama de mais, menos, igual. Ele diz que, se quiser ser grande, cada lutador deve ter alguém melhor com quem aprender, alguém inferior a quem ensinar e alguém no mesmo patamar com quem se comparar.

O propósito da fórmula de Shamrock é simples: obter um retorno real e contínuo sobre o que se sabe e o que não se sabe sob todos os ângulos possíveis. Isso elimina o ego, que nos deixa

TORNE-SE UM APRENDIZ

inflados, o medo, que nos leva a duvidar de nós mesmos, e qualquer preguiça que possa levar à acomodação. Como Shamrock disse: "Ideias errôneas sobre si mesmo destroem você. Pessoalmente, jamais deixarei de ser um aprendiz. Esse é o objetivo das artes marciais, e você precisa usar essa humildade como ferramenta. Você se coloca abaixo de alguém em quem confia." Isso começa pela aceitação de que outras pessoas sabem mais e de que você pode se beneficiar do conhecimento delas, esforçando-se para conseguir isso e acabando com as ilusões que tem a respeito de si mesmo.

A necessidade de ter uma mentalidade de aprendiz não se restringe à luta ou à música. Um cientista deve conhecer tanto os princípios básicos da ciência quanto estar atualizado a respeito das últimas descobertas. Um filósofo deve ter conhecimentos profundos e ao mesmo tempo estar ciente de quão pouco sabe, tal como Sócrates. Um escritor deve ser versado na literatura clássica, mas também ler e ser desafiado por seus contemporâneos. Um historiador deve conhecer a história antiga e a história moderna, assim como sua especialidade. Atletas profissionais têm equipes de técnicos, e até políticos poderosos têm consultores e mentores.

Por quê? Para se tornarem grandes e continuarem grandes, todos devem saber o que veio antes, o que está acontecendo agora e o que virá em seguida. Eles devem absorver os fundamentos do seu domínio e o que os cerca, sem que se tornem fósseis ou parem no tempo. Devem estar sempre aprendendo. Todos nós devemos nos tornar nossos próprios professores, tutores e críticos.

Pense no que Hammett poderia ter feito, ou o que nós poderíamos ter feito na posição dele se, da noite para o dia, tivéssemos nos tornado um astro de rock ou algo equivalente a isso em nosso campo de atuação. A tentação é pensar: consegui. Cheguei aonde queria. Eles expulsaram o outro cara porque ele não é bom como eu. Eles me escolheram *porque eu tenho o que é necessário.* Se Hammett tivesse feito isso, provavelmente nunca teríamos ouvido falar no seu nome ou na banda. Afinal de contas, existem muitos grupos de metal da década de 1980 que foram esquecidos.

Um verdadeiro aprendiz é como uma esponja: absorve o que acontece ao seu redor, filtra e se segura no que pode manter. Um aprendiz é autocrítico e automotivado, sempre tentando aperfeiçoar sua compreensão a fim de poder passar para o próximo tópico, o próximo desafio. Um verdadeiro aprendiz também é seu próprio professor e seu próprio crítico. Não há espaço para o ego.

Tomemos mais uma vez como exemplo a luta, uma área em que a consciência de si mesmo é particularmente crucial, já que parte do processo é usar os próprios pontos fortes contra os pontos fracos do oponente. Se um lutador não é capaz de aprender e praticar todos os dias, se não estiver buscando de maneira incansável possibilidades de aperfeiçoamento, examinando os próprios pontos fracos e encontrando novas técnicas de colegas e oponentes para serem assimiladas, será derrubado e destruído.

Não é tão diferente para o restante de nós. Não estamos lutando por ou contra alguma coisa? Você acha que é o único que espera alcançar seu objetivo? É claro que não acredita que é o único tentando conquistar aquele anel.

As pessoas costumam ficar surpresas ao descobrirem o quão humildes os aspirantes à grandeza costumavam ser. *Você está dizendo que eles não eram agressivos, convictos, conscientes da própria grandeza e do seu destino?* A realidade é que, embora fossem confiantes, a atitude de eterno aprendiz manteve esses homens e mulheres humildes.

"É impossível aprender aquilo que consideramos já saber", disse Epiteto. *Você não pode aprender se acha que já sabe.* Não encontrará respostas se for orgulhoso ou presunçoso demais para fazer perguntas. Não poderá melhorar se estiver convencido de que já é o melhor.

A arte de receber *feedback* e, principalmente, críticas duras é uma habilidade crucial na vida. Nós não apenas precisamos aceitar críticas, mas solicitá-las, esforçando-nos para buscar o negativo precisamente quando nossos amigos, nossos familiares e nosso cérebro nos dizem que estamos nos saindo muito bem. O ego, no entanto, evita esse tipo de avaliação a todo custo. Quem quer se submeter a um treinamento para corrigir erros? O ego acredita que já sabe como e quem somos — isto é, acha que somos espetaculares, perfeitos, gênios e verdadeiramente inovadores. Ele não gosta da realidade e prefere sua própria análise.

O ego tampouco nos permite uma preparação adequada. Para nos tornarmos o que almejamos, muitas vezes precisamos de longos períodos de anonimato, sentando e lutando com algum tópico ou paradoxo. A humildade é o que nos mantém nessa posição, preocupados com o que não sabemos o suficiente e com o que devemos continuar estudando. O ego nos apressa a chegar ao fim, nos faz pensar que a paciência é para perdedores (enxergando-a, erroneamente, como fraqueza) e presumir que somos tão bons que submeter nosso talento às provas do mundo é quase um desaforo.

Quando nos sentamos para pôr nosso trabalho à prova, quando do fazemos a primeira apresentação ou nos preparamos para abrir a nossa primeira loja, quando encaramos a plateia do ensaio com figurino, o ego é o inimigo — dando um *feedback* malicioso, desconectado da realidade. Ele nos coloca na defensiva justamente quando não podemos nos dar a esse luxo. Bloqueia nosso aperfeiçoamento dizendo que não precisamos nos aperfeiçoar. Então, nós nos perguntamos por que não alcançamos os resultados que queremos, por que outros são melhores e por que o sucesso deles é mais duradouro.

Hoje, os livros são mais baratos do que nunca. Existem cursos gratuitos. O acesso a professores não é mais uma barreira — a tecnologia acabou com isso. Não existe desculpa para não se instruir, e porque a informação que temos diante de nós é bastante vasta, também não existe desculpa para interrompermos esse processo em momento algum.

Nossos professores na vida não são apenas os pagos, como Hammett pagou a Satriani. Tampouco eles precisam fazer parte de algum *dojo* de treinamento, como no caso de Shamrock. Muitos dos melhores professores estão disponíveis gratuitamente. Eles são voluntários, pois já foram jovens e tiveram os mesmos objetivos que você. Muitos sequer conhecem os alunos — eles simplesmente são exemplos, ou até mesmo figuras históricas cujas lições sobrevivem em livros e artigos. Mas o ego nos torna tão teimosos e hostis ao *feedback* que afasta ou coloca tais instrutores fora de nosso alcance.

É por isso que o velho provérbio diz: "Quando o discípulo está pronto, o mestre aparece."

NÃO SEJA APAIXONADO

*Você parece querer aquele vivida vis animi que infla-
ma e estimula a maioria dos jovens a agradar, brilhar
e se sobressair. Sem o desejo e as dores necessárias
para ser notável, esteja certo, você jamais poderá sê-lo.*

— CONDE DE CHESTERFIELD

Paixão — tudo depende da paixão. Encontre a sua paixão. Viva apaixonadamente. Inspire o mundo com a sua
paixão.

As pessoas vão ao Burning Man em busca da paixão, para
ficar perto da paixão, reacender a sua paixão. O mesmo pode
ser dito do TED, do agora gigantesco SXSW e de milhares de
outros eventos, retiros e conferências, todos alimentados pelo
que as pessoas afirmam ser a força mais importante da vida.

Mas há uma coisa que essas pessoas não lhe disseram: sua
paixão pode ser exatamente o que impede você de alcançar o
poder, a influência ou o sucesso. Pois muitas vezes nós *falhamos* mesmo com — ou melhor, *por causa da* — paixão.

Logo no início da ascendente carreira política de Eleanor
Roosevelt, um visitante certa vez falou sobre o "interesse apai-

O EGO É SEU INIMIGO

xonado" dela em um artigo sobre legislação social. A pessoa teve a intenção de elogiá-la. Mas a resposta de Eleanor é esclarecedora: "Sim", ela de fato apoiava a causa, foi o que disse. "Mas acho difícil que a palavra 'apaixonada' se aplique a mim."

Como uma mulher requintada, bem-sucedida e paciente, nascida quando as cinzas das discretas virtudes vitorianas ainda estavam quentes, ela estava acima da paixão. Roosevelt tinha um propósito. Tinha uma direção. Não era guiada pela paixão, mas pela *razão*.

George W. Bush, Dick Cheney e Donald Rumsfeld, por outro lado, eram apaixonados pelo Iraque. Quando mergulhou "na natureza selvagem", Christopher McCandless estava explodindo de paixão. O mesmo pode ser dito de Robert Falcon Scott quando partiu para explorar o Ártico, picado pela "polomania" (assim como muitos outros alpinistas da tragédia de 1996 no Everest, momentaneamente acometidos pelo que hoje os psicólogos chamam de "busca destrutiva por metas"). O inventor e os financiadores do Segway acreditavam ter nas mãos uma inovação capaz de mudar o mundo e investiram tudo em sua divulgação. O fato de que todos esses indivíduos talentosos e inteligentes acreditavam de maneira fervorosa no que buscavam está acima de questionamento. Também não resta dúvida de que eles não estavam preparados e foram incapazes de compreender as objeções e preocupações de todos ao redor.

O mesmo se aplica a inúmeros empreendedores, autores, chefs, donos de empresas, políticos e designers que você não conhece — e dos quais nunca ouvirá falar, já que eles afundaram com os próprios navios pouco depois de terem deixado o porto. Como acontece a todos os amadores, eles tinham paixão de sobra — e nada mais.

NÃO SEJA APAIXONADO

Para ser claro, não estou dizendo que você não deve se *importar* com as coisas. Estou falando de um tipo diferente de paixão, do entusiasmo desenfreado, de nossa determinação em atacar o que está diante de nós com toda a disposição, da "usina de energia" que nossos professores e gurus nos garantiram ser a nossa força mais importante. É aquele desejo ardente e insaciável de começar ou alcançar algum objetivo vago, ambicioso e distante. Essa motivação aparentemente inofensiva está tão longe de ser o caminho certo, tão afastada que chega a doer.

Lembre-se: "fervoroso" é apenas um eufemismo para "louco". Um jovem jogador de basquete chamado Lewis Alcindor Jr., que venceu três campeonatos nacionais com John Wooden na UCLA, usou a seguinte palavra para descrever o estilo do seu famoso técnico: "*desapaixonado*". Ou seja, *não* apaixonado. Wooden não usava discursos arrebatadores nem inspiração. Ele via essas emoções adicionais como um peso. Em vez disso, sua filosofia pregava o controle, o trabalho bem-feito e nunca ser um "escravo da paixão". O jogador que aprendeu essa lição com Wooden mais tarde adotaria um nome do qual você deve se lembrar muito bem: Kareem Abdul-Jabbar.

Ninguém descreveria Eleanor Roosevelt, John Wooden ou seu jogador notoriamente calado, Kareem, como apáticos. Eles tampouco teriam descrito a si mesmos como entusiastas ou fervorosos. Roosevelt, uma das ativistas mais poderosas e influentes da história, e sem dúvida a primeira-dama mais importante dos Estados Unidos, era conhecida acima de tudo pela bondade, pelo equilíbrio e senso de direção. Wooden ganhou dez títulos em doze anos, inclusive sete campeonatos sucessivos, porque desenvolveu um sistema para vencer e trabalhou com seus jogadores para que seguissem a metodologia. Nenhum deles era motivado pela empolgação, tampouco eram corpos em movimento constante. Em vez disso, eles levaram anos para se tornarem as pessoas que conhecemos hoje. Foi um processo cumulativo.

Em nossos esforços, enfrentaremos problemas complexos e, com frequência, em situações inéditas. As oportunidades não costumam ser piscinas profundas e imaculadas que requerem coragem e ousadia de quem deseja mergulhar nelas, mas sim águas obscuras e sujas, bloqueadas por inúmeras formas de resistência. O que é realmente necessário nessas circunstâncias é clareza, ponderação e uma determinação metódica.

Mas, muitas vezes, é assim que agimos...

Um flash de inspiração: "Eu quero fazer o maior e melhor _____ de todos os tempos. Ser o mais jovem _____. O único a _____. O 'primeiríssimo e maioral'."

O conselho: "Certo, então aqui está o que você precisará fazer passo a passo para conquistar isso."

A realidade: ouvimos o que queremos ouvir, fazemos o que queremos fazer e, apesar de estarmos incrivelmente ocupados e de trabalharmos muito duro, conquistamos muito pouco. Ou, pior, acabamos em uma enrascada que não havíamos previsto.

Isso porque, aparentemente, só ouvimos falar da paixão das pessoas bem-sucedidas e nos esquecemos que os fracassados partilhavam com elas a mesma característica. Não podemos imaginar as consequências até darmos uma olhada em suas trajetórias. No caso do Segway, o inventor e os investidores erroneamente presumiram uma demanda muito maior do que viriam a ter. Com o avanço para a Guerra do Iraque, seus proponentes ignoraram as objeções e os comentários negativos, os

NÃO SEJA APAIXONADO

quais entravam em conflito com aquilo em que queriam tanto acreditar. O fim trágico da história de *Na natureza selvagem* é o resultado da ingenuidade e da falta de preparo de um jovem. Com Robert Falcon Scott, o problema foi o excesso de confiança e o fervor sem a consideração dos verdadeiros riscos. Imaginamos Napoleão ardendo de paixão quando contemplou a invasão da Rússia, uma paixão da qual só conseguiu se libertar quando voltou mancando para casa com uma pequena fração dos homens que tinha quando partira cheio de confiança. Encontramos os mesmos erros em diversos outros exemplos: investir de mais, investir de menos, agir antes de estar realmente preparado, quebrar coisas que exigiam delicadeza — males da embriaguez da paixão.

A paixão costuma mascarar a fraqueza. Sua impetuosidade, seu frenesi e sua capacidade de nos tirar o fôlego são substitutos medíocres da disciplina, da maestria, da força, do propósito e da perseverança. Você precisa ser capaz de identificar essas características nos outros e em si mesmo porque, embora as origens da paixão possam ser sinceras e bem-intencionadas, seus efeitos são cômicos e monstruosos.

A paixão aparece naqueles que podem detalhar a você a pessoa que pretendem se tornar e como será o sucesso que alcançarão — é possível que sejam capazes até mesmo de lhe dizer especificamente quando pretendem alcançá-lo ou descrever preocupações legítimas e sinceras a respeito dos fardos que lhe trarão tais conquistas. Eles podem dizer tudo o que vão fazer, ou até mesmo que já começaram, mas não conseguem mostrar progresso, pois raramente alcançam algum.

Como alguém pode estar ocupado e não conquistar nada? Eis o paradoxo da paixão.

O EGO É SEU INIMIGO

Se a definição de loucura é tentar a mesma coisa várias vezes e esperar resultados diferentes, a paixão é uma forma de autossabotagem mental: de embotar, deliberadamente, nossas funções cognitivas mais críticas. O desperdício muitas vezes é chocante quando olhamos para trás; os melhores anos de uma vida jogados fora feito pneus desgastados pelo asfalto.

Os cachorros, que gracinha, são passionais. Como vários esquilos, pássaros, caixas, cobertores e brinquedos podem testemunhar, eles não conquistam a maioria das coisas que se propuseram a conquistar. Mas o cachorro tem uma vantagem em tudo isso: uma memória curtíssima que o impede de sofrer com a sensação de fracasso e impotência. Por outro lado, a realidade em que vivemos não tem motivos para ser sensível às ilusões sob as quais nós, humanos, operamos. Eventualmente, a realidade vai bater à porta.

O que os humanos precisam para avançar são o propósito e o realismo. O propósito, poderíamos dizer, é como a paixão com limites. O realismo são o distanciamento e a perspectiva.

Quando somos jovens, ou quando nossa causa é jovem, os sentimentos são tão intensos — assim como nossos hormônios, a paixão é mais forte na juventude — que parece errado ir devagar. Isso é somente a nossa impaciência. É a nossa incapacidade de ver que nos esgotarmos ou nos inflarmos não vai acelerar a jornada que temos pela frente.

A paixão é *por*. (Sou tão apaixonado por _____.) O propósito é *para*. (Devo fazer _____. Fui colocado aqui para conquistar_____. Estou disposto a suportar _____ para isso.) Na verdade, o propósito tira a ênfase do *eu*. O propósito é perseguir algo que está fora de nós, é o contrário de nos satisfazer.

70

NÃO SEJA APAIXONADO

Mais do que propósito, também precisamos de realismo. Por onde começamos? O que fazer primeiro? O que fazer agora? Como saber ao certo se o que estamos fazendo está nos levando adiante? Quais são nossos parâmetros de comparação? "Grandes paixões são enfermidades incuráveis", disse Goethe certa vez. E é por isso que pessoas ponderadas e com propósitos operam em um nível diferente, livres do balanço do barco e dos enjoos. Elas contratam profissionais e *usam* seus serviços. Fazem perguntas, indagam o que pode dar errado, pedem exemplos. Planejam-se para as contingências. E só então dão o primeiro passo. Geralmente, começam por passos pequenos, e depois de concluí-los procuram saber como podem fazer para que a próxima etapa seja melhor. Consolidam o progresso, melhorando à medida que avançam e, muitas vezes, investindo esses lucros para substituir o crescimento aritmético pelo exponencial.

Será que a abordagem iterativa não é tão excitante quanto manifestos, epifanias, cruzar o país para surpreender alguém ou mandar e-mails de quatro mil palavras provenientes do fluxo da consciência no meio da noite? É claro que não. Ela é menos glamourosa e ousada do que mergulhar de cabeça e estourar os cartões de crédito porque você acredita em si mesmo? Com certeza. O mesmo se aplica a planilhas, reuniões, viagens, telefonemas, programas, ferramentas e sistemas internos — e a cada tutorial já escrito sobre eles e sobre as rotinas das pessoas famosas. Paixão é colocar a forma acima da utilidade. Propósito é utilidade, utilidade, utilidade.

O trabalho crucial que você quer fazer exigirá deliberação e consideração. Não paixão. Não ingenuidade.

Seria muito melhor se você se sentisse intimidado pelo que tem pela frente, diminuído por sua magnitude e, ainda assim, se sentisse determinado a avançar. Deixe a paixão para os amadores. Aja de acordo com o que sente que *deve* fazer e dizer, e não com aquilo que o encanta ou que deseja ser. Lembre-se do que Talleyrand dizia aos diplomatas: "Surtout, pas trop de zèle" ("Acima de tudo, evite o excesso de fervor"). Assim, você fará coisas grandiosas. Assim, deixará para trás sua versão bem-intencionada, porém ineficaz.

SIGA A ESTRATÉGIA
DA TELA EM BRANCO

Os grandes homens quase sempre se mostraram tão
dispostos a obedecer quanto, mais tarde, provaram-se
aptos para comandar.

— LORD MAHON

No sistema artístico e científico romano, existia um conceito para o qual temos apenas uma analogia parcial. Os negociantes, políticos e *playboys* ricos subsidiavam alguns escritores, pensadores e artistas. Mais do que simplesmente receber para produzir obras de arte, esses artistas executavam uma série de tarefas em troca de proteção, alimentação e presentes. Um de seus papéis era o de anteambulone — que quer dizer, literalmente, "aquele que abre o caminho". Um anteambulone antecedia seu benfeitor aonde quer que fossem em Roma, abrindo o caminho, levando mensagens e, em geral, facilitando a vida do benfeitor.

O famoso epigramatista Marcial fez esse trabalho por muitos anos, trabalhando durante algum tempo para Mela, um rico negociante e irmão do filósofo estoico e conselheiro político Sêneca. Nascido sem família rica, Marcial também trabalhou para outro negociante chamado Pecílio. Quando jovem, o escritor passava a maior parte do dia indo da casa de um benfeitor rico a outra, prestando serviços, apresentando seus respeitos e recebendo em troca pequenos pagamentos e favores.

O problema era: como acontece com a maioria de nós quando empregados em estágios e posições iniciantes (ou, mais tarde, editores, chefes ou clientes), Marcial detestava por completo cada minuto de seu trabalho. Ele parecia acreditar que esse sistema, de algum modo, reduzia-o a um escravo. Aspirando à vida dos grandes proprietários de terras, como aqueles para quem trabalhava, Marcial queria dinheiro e posses que fossem só seus. Com isso, sonhava poder enfim produzir suas obras em paz e com independência. O resultado é que seus textos costumam estar cheios de desprezo e mágoa em relação às classes superiores de Roma, das quais ele acreditava ser cruelmente excluído.

Por causa dos sentimentos de revolta e impotência, Marcial não conseguia perceber que era justamente sua posição única como observador externo que lhe proporcionava um ponto de vista tão fascinante da cultura romana, ponto de vista este que sobrevive até hoje. E se em vez de ter se sentido maltratado por esse sistema, ele tivesse conseguido aceitá-lo? E se — pasme — ele tivesse identificado as oportunidades que tal sistema oferecia? Não foi o que aconteceu. Em vez disso, a situação parecia corroê-lo por dentro.

Essa é uma atitude comum que transcende gerações e sociedades. O gênio menosprezado e amargurado passa a vida sentindo-se forçado a fazer coisas de que não gosta para pessoas

SIGA A ESTRATÉGIA DA TELA EM BRANCO

que não respeita. *Como eles ousam me forçar a tal humilhação? Quanta injustiça! Que desperdício!*

Pode-se observar essa atitude nos processos abertos por estagiários contra seus patrões e em jovens mais dispostos a morar na casa dos pais do que a se submeter a algum emprego para o qual são "qualificados demais". Essa tendência também é detectada em pessoas incapazes de se relacionar segundo as regras alheias, no fato de se recusarem a dar um passo atrás para ter a chance de dar vários à frente. *Não vou deixar que me passem a perna. Se for para isso, prefiro não me relacionar com eles.*

Vale a pena analisarmos as supostas indignidades de "servir" a alguém, pois, na verdade, o modelo do aprendiz não apenas é responsável por algumas das maiores obras de arte da história do mundo — todos, de Michelangelo, passando por Leonardo da Vinci, até Benjamin Franklin, foram forçados a passar por esse sistema —, mas para ser o figurão que você pretende se tornar, essa não seria uma imposição temporária bastante trivial?

Quando alguém consegue o primeiro emprego ou entra para uma nova organização, muitas vezes recebe o seguinte conselho: ajude os outros a construírem uma boa imagem, e vai se dar bem. Abaixe a cabeça, dizem as pessoas, e obedeça a seu chefe. Naturalmente, não é isso que o jovem, que foi escolhido entre todos os outros para a posição, quer ouvir. Não é o que um aluno de Harvard espera — afinal de contas, ele estudou exatamente para evitar essa suposta indignidade.

Vamos reformular para que a situação não pareça tão humilhante: a questão não é puxar o saco de ninguém. Não é ajudar a construir a boa imagem de alguém. É fornecer o apoio necessário para que os outros possam se sair bem. A melhor ma-

O EGO É SEU INIMIGO

neira de expressar esse conselho é: encontre telas em branco para outras pessoas pintarem. Seja um anteambulone. Abra o caminho para aqueles que estão acima de você, e acabará por criar o seu próprio caminho.

Quando você está só começando, pode ter certeza de alguns fatos fundamentais: 1) você não é nem de longe tão bom ou importante quanto imagina; 2) você tem uma atitude que precisa ser ajustada; 3) a maior parte do que você acredita saber ou do que aprendeu nos livros ou na faculdade está desatualizada ou errada.

Existe uma maneira fabulosa de eliminar tudo isso de seu sistema: ligue-se a pessoas e organizações que já sejam bem-sucedidas e incorpore sua identidade a elas, de forma que ambos avancem simultaneamente. Sem dúvidas, é mais glamouroso buscar a própria glória, embora dificilmente isso seja eficaz. É a deferência que o fará avançar.

E aí está o outro efeito dessa atitude: ela reduz seu ego em um momento crítico de sua carreira, permitindo que você absorva tudo o que conseguir sem as obstruções que se interpõem diante da visão e do progresso daqueles que se deixam levar pela atitude errada.

Ninguém está defendendo a falsidade. Em vez disso, o objetivo é ver o que acontece de dentro e buscar oportunidades para outra pessoa que *não você*. Lembre que anteambulone significa abrir o caminho — encontrar a direção que outra pessoa já pretendia seguir e ajudá-la a fazer as malas, libertando-a para se concentrar em seus pontos fortes. Ou seja, melhorar as coisas em vez de apenas parecer melhor.

Muitas pessoas já ouviram falar nas famosas cartas de Benjamin Franklin escritas sob pseudônimos como Silence Do-

SIGA A ESTRATÉGIA DA TELA EM BRANCO

good. Que jovem prodígio inteligente, eles pensam, ignorando por completo o detalhe mais importante: Franklin escreveu essas cartas, passou-as por debaixo da porta da gráfica e só recebeu crédito por elas muito mais tarde. Na verdade, foi seu irmão, o proprietário da gráfica, que lucrou com sua imensa popularidade, publicando-as frequentemente na primeira página de seu jornal. Franklin estava apostando no longo prazo — aprendendo como funcionava a opinião pública, divulgando suas crenças, desenvolvendo seu estilo, bem como sua prosa e inteligência. Foi uma estratégia que ele usou inúmeras vezes ao longo da carreira (certa vez, publicando até mesmo no jornal de um concorrente para prejudicar um terceiro concorrente), pois via o benefício constante de fazer *outras pessoas* se destacarem e deixá-las receber o crédito pelas ideias que ele tinha.

Bill Belichick, o técnico do New England Patriots que venceu quatro vezes o Super Bowl, cresceu dentro da NFL pelo amor e pelo domínio da única parte do trabalho que na época não agradava os técnicos: a análise de vídeos. Seu primeiro emprego no futebol americano profissional, no Baltimore Colts, foi como voluntário, sem salário — e suas ideias, que ofereceram munição e estratégias críticas ao jogo, foram atribuídas exclusivamente aos técnicos mais experientes. Ele se sobressaía em trabalhos que eram considerados ingratos e servis, solicitava esse tipo de trabalho e se esforçou para se tornar o melhor precisamente naquilo que os outros se consideravam bons demais para fazer. "Ele era como uma esponja, absorvendo tudo, ouvindo tudo", disse um técnico. "Você dava uma tarefa a ele, e ele desaparecia dentro de uma sala. Você não voltava a vê-lo até que tivesse terminado, e então ele pedia mais", disse outro. Como você pode adivinhar, não demorou para que Belichick começasse a ser remunerado.

Antes disso, quando era um jovem jogador no ensino médio, ele conhecia tanto o jogo que atuava como um tipo de treinador assistente ao mesmo tempo em que jogava. Seu pai, que era um técnico assistente de futebol da Marinha dos Estados Unidos, ensinou-lhe uma lição crucial na política do futebol: se quisesse fazer um comentário ou questionar uma decisão do técnico, ele precisaria fazer isso em particular e com humildade, para não ofender seu superior. Belichick aprendeu a ser uma estrela em ascensão sem jamais ameaçar ou se indispor com ninguém. Em outras palavras, ele dominou a estratégia da tela em branco.

É possível ver com que facilidade a pretensão e a sensação de superioridade (as armadilhas do ego) poderiam ter impossibilitado as conquistas desses dois homens. Franklin jamais teria publicado seus textos se tivesse dado prioridade ao crédito em detrimento da expressão criativa — aliás, quando seu irmão descobriu o que ele fizera, deu literalmente uma surra em Franklin de tanta inveja e raiva. Belichick teria irritado o técnico e, provavelmente, teria sido deixado de lado se tivesse se mostrado melhor que ele em público. Sem dúvida, não teria aceitado o primeiro emprego sem remuneração nem assistido a milhares de horas de vídeos se desse alguma importância ao status. A grandeza vem de origens humildes; vem do trabalho considerado ingrato e servil. Isso significa que você é a pessoa menos importante na sala — até mudar isso com resultados.

Existe um velho ditado que diz: "Fale pouco, faça muito." O que precisamos fazer é atualizar e aplicar uma versão dele à

SIGA A ESTRATÉGIA DA TELA EM BRANCO

nossa abordagem inicial. Seja *menos*, faça *mais*. Imagine que você encontrasse algum modo de ajudar cada pessoa que conhece, alguma coisa que pudesse fazer por elas. E se encarasse isso de forma a beneficiá-las, em vez de beneficiar apenas a si mesmo? O efeito cumulativo dessa atitude com o tempo seria profundo: você aprenderia muito resolvendo diversos problemas. Conquistaria a reputação de ser indispensável. Teria inúmeros novos relacionamentos e uma imensa reserva de favores para cobrar ao longo do caminho.

Esse é o objetivo da estratégia da tela em branco: alcançar o sucesso ajudando os outros. Fazer um esforço focado para trocar a gratificação de curto prazo por compensação de longo prazo. Enquanto todo mundo quer receber crédito e ser "respeitado", você pode esquecer o crédito. Pode esquecê-lo de tal maneira que ficará *feliz* quando outros o receberem em seu lugar: essa, no final das contas, é sua meta. Deixe que os outros recebam crédito em cima de crédito enquanto você adia o recebimento e acumula juros sobre o montante principal.

A parte da *estratégia* é a mais difícil. É fácil ser amargo como Marcial, detestar até mesmo o conceito de subserviência e desprezar aqueles que têm mais meios, mais experiência ou mais status do que você e dizer a si mesmo que cada segundo que você não passa fazendo seu trabalho ou investindo em si mesmo é um desperdício do seu dom. Insistir em *não ser humilhado dessa forma*.

Uma vez que a gente consiga combater esse impulso emocional e egocêntrico, a estratégia da tela em branco se torna fácil. As iterações nunca acabam.

O EGO É SEU INIMIGO

- Talvez seja ter ideias para dar ao seu chefe.
- Encontrar pessoas, pensadores, novos talentos para apresentá-los uns aos outros. Encostar os fios para produzir novas faíscas.
- Encontrar o que ninguém mais quer fazer e fazê-lo.
- Encontrar ineficiências, desperdícios e redundâncias. Identificar vazamentos e remendos para liberar recursos para novas áreas.
- Produzir mais do que todo mundo e distribuir suas ideias de graça.

Em outras palavras, identifique oportunidades de promover a criatividade dos outros, encontre meios e pessoas para gerar colaboração e elimine distrações que atrapalhem o progresso e o foco dessas pessoas. Essa é uma estratégia de poder gratificante e sua escala é infinita. Considere cada passo um investimento em relacionamentos e em seu próprio desenvolvimento.

A estratégia da tela em branco pode ser aplicada em qualquer circunstância. Além disso, não tem data de vencimento. É uma das poucas estratégias que não é limitada pela idade — de nenhum lado, nem para os mais velhos, nem para os mais novos. Você pode começar quando quiser: antes de encontrar um emprego; antes de ser contratado e enquanto estiver fazendo outra coisa; se estiver começando algo novo; se estiver dentro de uma organização sem aliados fortes ou apoio. Pode ser que você até mesmo descubra que não há razão para parar de fazer isso, mesmo depois de ter sido promovido ao comando de seus próprios projetos. Deixe que o hábito se torne natural e permanente; deixe que outros apliquem com você

SIGA A ESTRATÉGIA DA TELA EM BRANCO

quando você mesmo estiver muito ocupado aplicando-o a serviço de seus superiores.

Depois que vestir esse manto, você verá o que o ego da maioria das pessoas as impedem de perceber: que aquele que abre o caminho acaba por controlar o rumo que se toma, do mesmo jeito que a tela dá o formato para a pintura.

CONTENHA-SE

Reparei que aqueles que alcançaram os melhores resultados são aqueles que "subjugam o corpo"; são aqueles que nunca se exaltam ou perdem o autocontrole, mas são sempre calmos, contidos, pacientes e educados.

— BOOKER T. WASHINGTON

Quem conheceu a fase jovem de Jackie Robinson provavelmente não teria previsto que um dia ele se tornaria o primeiro jogador negro da MLB, a principal liga de beisebol dos Estados Unidos. Não que ele não fosse talentoso, ou que a ideia de algum dia integrar o beisebol branco fosse inconcebível. O problema é que ele não era conhecido por ser controlado ou equilibrado.

Na adolescência, Robinson andava com uma pequena gangue de amigos que costumava ter problemas com a polícia local. Durante um piquenique no primeiro ano da faculdade, chamou para briga um colega que o havia insultado. Em um jogo de basquete, acertou a bola tantas vezes e com tanta força em um oponente branco que o garoto ficou com o corpo intei-

O EGO É SEU INIMIGO

ro machucado. Foi preso mais de uma vez por desacatar e desafiar policiais que ele achava que o tratavam injustamente.

Antes de começar a estudar na UCLA, ele passou uma noite na cadeia (e ficou sob a mira da arma de um policial) por quase brigar com um homem branco que havia insultado seus amigos. E além dos rumores de que incitava protestos contra o racismo, em 1944 Jackie Robinson conseguiu acabar com a própria carreira como oficial militar em Camp Hood quando um motorista de ônibus tentou forçá-lo a se sentar nos fundos do veículo apesar das leis que proibiam a segregação nos ônibus da base. Depois de ter discutido e xingado o motorista, e, em seguida, ter desafiado diretamente seu superior, Jackie desencadeou uma série de eventos que o levou à corte marcial. Apesar de ter sido absolvido, ele foi dispensado do serviço logo depois.

O fato de ele ter feito isso não é apenas compreensível e humano; provavelmente, foi a coisa certa a fazer. Por que ele deveria deixar qualquer um tratá-lo dessa maneira? Ninguém deveria tolerar esse tipo de situação.

Acontece que às vezes as pessoas toleram. Diante da importância de certos objetivos, não suportamos qualquer coisa para alcançá-los?

Quando Branch Rickey, o técnico e proprietário dos Brooklyn Dodgers, identificou em Jackie o potencial para ser o primeiro jogador negro de beisebol, ele tinha uma pergunta: você tem coragem? "Estou procurando", disse Rickey a ele, "um jogador de beisebol com coragem o suficiente para *não* reagir." Na verdade, em seu famoso encontro, Rickey simulou os insultos que Robinson provavelmente sofreria se aceitasse o desafio proposto: um gerente de hotel recusando-se a lhe dar um quarto, um

CONTENHA-SE

garçom grosseiro em algum restaurante, um oponente gritando ofensas. Robinson garantiu que estava pronto para lidar com isso.

Rickey poderia ter escolhido muitos jogadores, mas precisava de alguém que não deixasse o ego impedi-lo de enxergar o quadro geral.

Quando começou nas equipes de base do beisebol, em seguida passando para as profissionais, Robinson enfrentou mais do que o mero desprezo de prestadores de serviços e de jogadores caladões. Havia uma campanha agressiva e coordenada para difamá-lo, vaiá-lo, provocá-lo, ignorá-lo, atacá-lo, aleijá-lo ou até mesmo matá-lo. Ao longo da carreira, ele foi atingido por mais de 72 arremessos, quase teve o tendão de Aquiles rompido por outros jogadores, isso para não mencionar as pontuações que deveria receber e que não lhe foram dadas e as faltas que não o beneficiavam. Ainda assim, Jackie Robinson manteve o pacto verbal feito com Rickey e jamais explodiu em fúria — por mais que tivesse toda razão para isso. Em nove anos na liga, ele nunca agrediu nenhum jogador.

Os atletas hoje nos parecem mimados e geniosos, mas não imaginamos como as ligas eram no passado. Em 1956, Ted Williams, um dos jogadores mais respeitados e reverenciados da história do beisebol, foi pego *cuspindo* nos torcedores. Por ser um jogador branco, ele não apenas conseguiu se safar disso, como mais tarde disse aos repórteres: "Não me arrependo nem um pouco do que fiz. Eu estava certo e cuspiria de novo nas mesmas pessoas que me vaiaram hoje (…) Ninguém vai me impedir de cuspir." Para um jogador negro, esse tipo de comportamento teria sido não apenas impensável, como incompreensível. Robinson não tinha esse tipo de liberdade — teria sido não apenas o fim de sua carreira, como também teria adiado seu grandioso empreendimento por mais uma geração.

O caminho percorrido por Jackie o levou a deixar de lado tanto seu ego quanto, em alguns aspectos, seu senso básico de justiça e seus direitos como ser humano. No início da carreira, o técnico dos Philadelphia Phillies, Ben Chapman, foi particularmente cruel nas provocações que dirigiu ao jogador durante um jogo: "Seu lugar é na floresta, pretinho!", gritou ele repetidas vezes. "Nós não queremos você aqui, crioulo!" Jackie não só *não* respondeu — apesar de, como mais tarde escreveu, querer "agarrar um daqueles filhos da puta brancos e quebrar seus dentes com o meu menosprezado punho negro" — como, um mês depois, aceitou tirar uma foto amigável com Chapman para ajudar a salvar o emprego do técnico.

A lembrança de ter apertado a mão, de ter posado com um babaca como aquele, mesmo sessenta anos depois, continua revirando seu estômago. Robinson descreveu a experiência como uma das coisas mais difíceis que já fez, mas ele se submeteu àquilo porque fazia parte de um plano maior. Ele entendia que certas forças estavam tentando incomodá-lo, arruiná-lo. Sabendo o que queria e precisava realizar no beisebol, estava claro o que ele precisaria tolerar. É um tipo de coisa pela qual não deveria ser necessário passar, mas ele as tolerou.

Nosso caminho, não importa ao que aspiremos, em certos aspectos será definido pela quantidade de absurdos que estamos dispostos a enfrentar. Nossas humilhações não serão nada se comparadas às de Robinson, mas ainda assim serão difíceis. Ainda assim será difícil manter o autocontrole.

O lutador Bas Rutten às vezes escreve a letra R nas duas mãos antes das lutas — r de *rustig*, que significa "relaxar" em

CONTENHA-SE

holandês. Ficar com raiva, deixar-se dominar pelas emoções, perder o controle é a receita para o fracasso no ringue. Você não pode, como escreveu certa vez John Steinbeck para seu editor, "[perder] a calma para expiar o desespero". Seu ego não vai ajudar aqui, não importa se você está enfrentando um editor, críticos, inimigos ou um chefe cheio de caprichos. Não importa que eles não entendam ou que você saiba mais. É cedo demais para isso. Cedo demais.

Ah, você fez *faculdade*? Isso não significa que o mundo é seu por direito. Mas foi uma das melhores faculdades do mundo? Ora, as pessoas ainda vão tratar você mal, e ainda vão gritar contigo. Você tem 1 milhão de dólares ou uma parede cheia de prêmios? Isso não significa nada na nova área em que você está tentando ser bem-sucedido.

Não importa quão talentoso você seja, quantas conexões incríveis ou quanto dinheiro tenha. Se quiser fazer alguma coisa (algo grande, importante, significativo), você será submetido a tratamentos que irão da indiferença à franca sabotagem. Pode contar com isso.

Nesse cenário, o ego é o oposto absoluto do que você precisa. Quem pode se dar ao luxo de se entregar a impulsos ou de acreditar que é um presente de Deus para a humanidade, ou importante demais para suportar qualquer coisa de que não goste?

Aqueles que dominaram seu ego compreendem que não é *você* que é diminuído quando os outros o tratam mal, e sim eles.

Você irá se deparar com: desprezo, demissões, pequenos "foda-se", concessões unilaterais. Você vai ouvir gritos. Vai trabalhar nos bastidores para salvar o que deveria ter sido fácil. Tudo isso vai deixá-lo com raiva. Vai fazê-lo querer revidar. Vai fazê-lo querer dizer: *"Sou melhor do que isso. Mereço mais."*

O EGO É SEU INIMIGO

É claro que você vai querer jogar isso na cara das pessoas. Pior ainda: vai querer brigar com pessoas que não *merecem* o respeito, o reconhecimento ou as recompensas que estão recebendo. Na verdade, essas pessoas, muitas vezes, vão receber o bônus *no seu lugar*. Quando alguém não o reconhece com a seriedade que você deseja, o impulso é corrigi-lo. (Assim como todos nós queremos dizer: *"Você sabe quem eu sou?!"*) Você quer lembrá-lo do que a pessoa se esqueceu; seu ego grita para ser satisfeito.

Mas você não deve fazer nada. Aguente. Engula até ficar enjoado. Aguente. Tente, silenciosamente, deixar tudo de lado e trabalhe mais. Entre no jogo. Ignore o ruído; pelo amor de Deus, não deixe que isso o distraia. O autocontrole é uma habilidade difícil, porém fundamental. Muitas vezes, você irá se sentir tentado, e provavelmente algumas vezes a tentação vencerá. Ninguém é perfeito, mas precisamos tentar.

É um fato atemporal da vida: quem está se desenvolvendo precisa suportar os abusos daqueles que já estão estabelecidos. Robinson tinha 28 *anos* quando começou a jogar nos Dodgers, e já havia suportado muito na vida tanto como um homem negro, quanto como soldado. Ainda assim, foi forçado a aguentar tudo de novo. É um fato triste que novos talentos costumem ser perdidos, e mesmo quando são reconhecidos, acabam frequentemente subestimados. As razões variam, mas isso faz parte da jornada.

No entanto, você só poderá mudar o sistema *depois* de tê-lo conquistado. Enquanto isso, precisará encontrar algum jeito de usá-lo a favor de seus propósitos — mesmo que esses propósitos sejam apenas mais tempo para se desenvolver de maneira apropriada, aprender à custa de outras pessoas, construir uma base e se estabelecer.

CONTENHA-SE

Quando Robinson alcançou o sucesso, quando se provou o Novato do Ano e o jogador mais importante do time, quando seu lugar nos Dodgers estava garantido, ele começou a se posicionar de maneira mais clara e a afirmar seus limites como jogador e homem. Depois de ter conquistado seu espaço, ele achou que era chegado o momento de questionar os árbitros, estufar o peito sempre que precisava intimidar um jogador ou transmitir uma mensagem.

Não importava quão confiante e famoso Robinson tivesse se tornado, ele nunca cuspiu nos torcedores. Nunca fez nada que manchasse seu legado. Nobre do primeiro dia até o fim, Jackie Robinson não foi um homem desprovido de paixão. Ele tinha um temperamento e frustrações como todos nós. Mas desde cedo aprendeu que a corda bamba que atravessava toleraria apenas autocontrole e não perdoaria o ego.

Honestamente, não são muitos os caminhos que perdoam.

LIBERTE-SE DE SEUS PENSAMENTOS

*Uma pessoa que pensa o tempo todo não tem nada
em que pensar a não ser pensamentos, então perde
o contato com a realidade e vive em um mundo de
ilusões.*

— ALAN WATTS

É Holden Caulfield, o menino perdido em pensamentos perambulando pelas ruas de Manhattan, esforçando-se para se ajustar ao mundo. É um jovem Arturo Bandini em Los Angeles, afastando todos que conhece enquanto tenta se tornar um escritor famoso. É o sangue azul Binx Bolling no centro de Nova Orleans, em 1950, tentando fugir da "rotina" da vida.

Todos esses personagens fictícios tem algo em comum: estão presos nos próprios pensamentos.

Em *O Apanhador no campo de centeio*, de J. D. Salinger, Holden não consegue ficar na escola, morre de medo de crescer e quer desesperadamente se afastar de tudo. Em *Pergunte ao pó*, de John Fante (parte de uma série chamada de "O quarteto Bandini"), o jovem escritor não *experimenta* a vida que

O EGO É SEU INIMIGO

leva, mas a vê "através de uma folha na máquina de escrever", perguntando-se quase que a cada segundo se a vida é um poema, uma peça, uma história ou um artigo jornalístico, que traz ele como personagem principal. Em *The Moviegoer*, de Walker Percy, seu protagonista, Binx, é viciado em filmes, optando por uma versão idealizada da vida alheia na tela em vez do desconforto de seu próprio tédio.

É sempre arriscado analisar a psique de um escritor com base em sua obra, mas esses são romances notoriamente autobiográficos. Quando damos uma olhada na vida dos escritores, os fatos ficam claros. J. D. Salinger realmente sofria de um tipo de obsessão por si mesmo e de imaturidade que tornavam o mundo insuportável para ele, afastando-o do contato humano e paralisando sua genialidade. John Fante lutou para conciliar seus imensos ego e insegurança com uma relativa obscuridade durante a maior parte da carreira e, no final das contas, abandonou seus romances pelos campos de golfe e pelos bares de Hollywood. Foi só perto da morte, cego por causa do diabetes, que ele enfim conseguiu retomar a seriedade. *The Moviegoer*, o primeiro livro de Walker Percy, só foi publicado depois que ele conseguiu dominar sua indolência e crise existencial quase adolescentes — que duraram até que ele completasse 40 anos.

Quão melhores esses escritores poderiam ter sido se tivessem conseguido superar esses problemas mais cedo? Quão mais fácil teria sido sua vida? Esse é um questionamento urgente que eles impingiam a seus leitores com personagens que serviam de alerta.

Pois, infelizmente, essa característica, a incapacidade de se libertar dos próprios pensamentos, não está limitada à ficção.

LIBERTE-SE DE SEUS PENSAMENTOS

Há 2400 anos, Platão falou sobre o tipo de pessoa que é culpada por "se banquetear com os próprios pensamentos". Ao que parece, mesmo naquela época era comum encontrar indivíduos que, "em vez de descobrirem como satisfazer seu desejo, preferem ignorar isso, bem como evitar deliberações cansativas sobre o que é possível. Eles assumem que o objeto de seus desejos está logo ao alcance, e então passam a cuidar do resto, comprazendo-se em pensar em tudo que farão quando tiverem o que desejam, o que torna suas já preguiçosas almas ainda mais preguiçosas." Pessoas de verdade preferindo viver em uma ficção apaixonada do que na realidade.

O general da Guerra Civil George McClellan é o exemplo perfeito desse arquétipo. Ele foi escolhido para comandar as tropas da União porque atendia a todos os requisitos de um ótimo general: graduado em West Point, bem-sucedido em batalhas, estudante de História, de família importante, amado por seus homens.

Então por que acabou sendo, possivelmente, o pior general da União, mesmo em um campo lotado de líderes incompetentes e egocêntricos? Porque ele nunca conseguiu ir além dos próprios pensamentos. Ele estava apaixonado pelo conceito de ser comandante de um grande exército. Podia preparar um exército para a batalha como um profissional, mas quando chegava a hora de *liderar* um exército em batalha, quando era preciso colocar mãos à obra, ele tinha problemas.

De maneira patética, convenceu-se de que o inimigo estava crescendo cada vez mais (não estava; em determinado ponto, ele chegou a ter uma *vantagem* três vezes maior). Também acreditava piamente que estava sendo alvo de ameaças e intrigas constantes por parte de seus aliados políticos (não havia nenhuma). Estava certo de que a única maneira de vencer a guerra era com o plano perfeito e uma única campanha decisiva (estava errado). Sua convicção era tanta que o estagnou, passando meses sem fazer absolutamente nada.

McClellan estava sempre *pensando em si* e em como estava se saindo muito bem, parabenizando-se por vitórias que ainda não conquistara e, com mais frequência, pelas terríveis derrotas das quais havia salvado a causa. Quando qualquer pessoa — inclusive seus superiores — questionava essa confortável ilusão, ele reagia feito um idiota petulante, lunático, vaidoso e egoísta. Seu comportamento por si só já seria insuportável, mas ainda levou a outra coisa. Sua personalidade fez com que, para ele, fosse impossível fazer o que mais precisava: vencer batalhas.

Um historiador que lutou sob o comando de McClellan em Antietam resumiria mais tarde: "Seu egocentrismo é simplesmente colossal — não há outra palavra para descrevê-lo." Nós costumamos achar que o ego equivale à confiança, e que precisamos dela para *ocupar o comando*. Na verdade, ele pode ter o efeito oposto. No caso de McClellan, o ego o privou da habilidade de liderar. Roubou-lhe a capacidade de perceber que precisava agir.

As sucessivas oportunidades que ele perdeu seriam risíveis não fossem pelos milhares e milhares de vidas que custaram. A situação piorou pelo fato de que dois sulistas calados e tementes a Deus — Lee e Stonewall Jackson —, com um gosto por tomar a iniciativa, conseguiram enredá-lo com números e recursos inferiores. É isso que acontece quando os líderes fi-

LIBERTE-SE DE SEUS PENSAMENTOS

cam presos aos próprios pensamentos. E também pode acontecer conosco.

A romancista Anne Lamott descreve muito bem essa história do ego. "Se você não tiver cuidado", alerta ela aos jovens escritores, "a estação FMF (FM-Fodeu) vai tocar na sua cabeça 24 horas por dia, sem parar, em estéreo."

> Pelo alto-falante direito do seu ouvido interno, sairá um fluxo contínuo de admiração por si mesmo, a declamação de tudo que você tem de mais especial, de quão mais aberto, dotado, brilhante, instruído, mal compreendido e humilde você é. No alto-falante esquerdo tocarão raps de autodesprezo, as listas de todas as coisas que você não faz bem, de todos os erros que cometeu hoje e ao longo de toda a vida, as dúvidas, a certeza de que tudo que você toca vira merda, que você não se dá bem em relacionamentos, que é uma fraude em todos os aspectos, incapaz de ter amor-próprio, que não tem talento ou ideias criativas, e assim por diante.

Qualquer um, mas sobretudo uma pessoa ambiciosa, pode ser vítima dessa narrativa, tanto da positiva quanto da negativa. É natural para qualquer pessoa jovem e ambiciosa (ou simplesmente alguém cuja ambição seja jovem) ficar entusiasmada e ser dominada pelos próprios pensamentos e sentimentos. Em especial em um mundo que nos encoraja a ter e promover uma "marca pessoal". Precisamos contar histórias para vender nosso trabalho e nossos talentos, e depois de algum tempo acabamos nos esquecendo de onde está a linha que separa nossas ficções e a realidade.

O EGO É SEU INIMIGO

Em última análise, essa incapacidade acabará por nos paralisar. Ou vai se tornar uma parede entre nós e as informações de que precisamos para fazer nosso trabalho — que foi o principal motivo que levou McClellan a acreditar em relatórios da inteligência cheios de falhas óbvias. A ideia de que sua tarefa era relativamente simples, de que ele só precisava começar, era quase fácil e óbvia demais para alguém que havia pensado tanto nela.

Ele não é tão diferente do restante de nós. Estamos cheios de ansiedades, dúvidas, impotência, dores e, às vezes, um toque de loucura. Nesse aspecto, somos como adolescentes.

Conforme mostrou a famosa pesquisa do psicólogo David Elkind, a adolescência é marcada por um fenômeno conhecido como "plateia imaginária". Imagine um adolescente de 13 anos tão envergonhado que perde uma semana de aula, convencido de que a escola inteira está pensando e cochichando algo sobre qualquer pequeno incidente que, na verdade, quase ninguém percebeu. Ou uma adolescente que passa três horas na frente do espelho todas as manhãs como se estivesse prestes a entrar em um palco. Eles fazem isso porque estão certos de que cada movimento seu é observado com ávida atenção pelo restante do mundo.

Até mesmo nós, adultos, somos suscetíveis a essa fantasia durante uma caminhada inofensiva pela rua. Colocamos os fones de ouvido e de repente existe uma trilha sonora. Subimos a gola da jaqueta e logo pensamos em como devemos estar parecendo descolados. Reencenamos mentalmente a reunião bem-sucedida para a qual *estamos indo*. As multidões se abrem quando passamos. Somos guerreiros destemidos a caminho do topo.

LIBERTE-SE DE SEUS PENSAMENTOS

São os créditos de abertura. É a cena de um romance. A sensação é boa, muito melhor do que os sentimentos de insegurança, medo e normalidade. Então, ficamos presos a nossos próprios pensamentos em vez de participarmos do mundo à nossa volta.

Isso é o ego, meus queridos.

O que as pessoas bem-sucedidas fazem de diferente é refrear essas fantasias. Elas ignoram as tentações que podem fazê-las se sentirem importantes ou turvar sua visão. O general George C. Marshall — basicamente o oposto de McClellan, embora tenham ocupado a mesma posição com a diferença de algumas gerações — recusou-se a escrever um diário durante a Segunda Guerra Mundial, apesar dos pedidos de historiadores e amigos. Ele temia que isso transformasse o tempo de tranquilidade e reflexão que desfrutava em um tipo de performance e ilusão. Marshall provavelmente também temia a possibilidade de se censurar por decisões importantes pensando em sua reputação e na opinião dos futuros leitores, e de moldar seus pensamentos com base no que pensariam dele.

Todos nós somos suscetíveis a essas obsessões mentais, não importa se você administra uma startup de tecnologia, ou se está galgando os degraus da hierarquia corporativa, ou ainda se está perdidamente apaixonado. Quanto mais criativos somos, mais fácil perdemos o fio da meada da realidade.

Nossa imaginação, que sob tantos aspectos pode ser uma vantagem, é perigosa quando corre livre. Precisamos tomar as rédeas dela com nossas percepções. Caso contrário, perdidos na excitação, com que precisão poderemos prever o futuro ou interpretar os eventos? Como poderemos conservar a curiosidade e a consciência? Avaliar o momento presente? Ser criativo dentro do reino da praticabilidade?

O EGO É SEU INIMIGO

Viver com discernimento e presença requer coragem. Não viva na bruma do abstrato, mas dentro do que é tangível e real, ainda que seja — e especialmente se for — desconfortável. Participe do que está acontecendo ao redor. Alimente-se disso, ajuste-se a isso.

Não há nenhuma plateia para a qual se apresentar. Há apenas trabalho a ser feito e lições a serem aprendidas em tudo que nos cerca.

O PERIGO DO ORGULHO PRECIPITADO

O homem orgulhoso sempre vê as coisas e as pessoas de cima; e é claro que, enquanto se está olhando para baixo, não se pode ver nada que esteja acima.

— C. S. Lewis

Aos 18 anos, um triunfante Benjamin Franklin voltou para uma visita a Boston, a cidade de onde havia fugido sete meses antes. Cheio de orgulho e satisfeito consigo mesmo, ele tinha um terno novo, um relógio e um bolso cheio de moedas que distribuía e mostrava a qualquer um que encontrava — inclusive a seu irmão mais velho, a quem mais queria impressionar. Tudo exibicionismo de um menino que não passava de um funcionário de uma gráfica na Filadélfia.

Em um encontro com Cotton Mather, uma das figuras mais respeitadas da cidade e antigo adversário, Franklin não demorou a ilustrar quão ridiculamente inflado pelo próprio ego ele havia se tornado. Conversando com Mather enquanto andavam pelo corredor, Mather de repente avisou: "Abaixe-se! Abaixe-se!" Distraído demais pela própria performance,

O EGO É SEU INIMIGO

Franklin bateu com a cabeça em uma viga baixa. A reação de Mather foi perfeita: "Que isso sirva de lição para que você não mantenha a cabeça tão erguida assim", disse ele em tom de brincadeira. "Abaixe a cabeça, meu jovem, abaixe a cabeça enquanto percorre este mundo e escapará de muitas pancadas fortes."

Os cristãos acreditam que o orgulho é um pecado por ser uma mentira — ele convence as pessoas de que são melhores do que de fato são, de que são melhores do que Deus as fez. O orgulho leva à arrogância, afastando-nos da humildade e desconectando-nos dos outros seres humanos.

Você não precisa ser cristão para ver a sabedoria dessa filosofia. Precisa apenas se importar com sua carreira para entender que o orgulho — mesmo nas maiores realizações — é uma distração e um delírio.

"Quando os deuses desejam destruir alguém", disse Cyril Connolly em uma citação famosa, "primeiro eles o chamam de promissor". Antes disso (para ser preciso, 2500 anos antes), o poeta elegíaco Teógnis escreveu para um amigo: "A primeira coisa, Kurnos, que os deuses concedem a alguém que querem aniquilar é o orgulho." E ainda assim escolhemos vestir esse manto!

O orgulho retira o gume do instrumento que precisamos usar se quisermos sucesso: a mente. A capacidade de aprender, adaptar-se, ser flexível, construir relacionamentos, tudo isso é completamente embotado pelo orgulho. O mais perigoso é que isso tende a acontecer logo no início da vida, ou senão ao longo dela, quando somos invadidos pela prepotência dos principiantes. Só mais tarde você se dá conta de que aquela pancada na cabeça foi o menor dos danos.

O PERIGO DO ORGULHO PRECIPITADO

O orgulho pega uma conquista desimportante e faz com que pareça um grande feito. Ele se deleita com nossa suposta esperteza e talento, como se o que já exibimos não passasse de uma vaga ideia do que está por vir. Desde o início, ele coloca um obstáculo entre aquele que o possui e a realidade, mudando de maneira sutil e lenta suas percepções do que algo é ou não é. São essas opiniões fortes, com bases muito frágeis em fatos e conquistas, que acabam nos desviando em direção à ilusão ou coisa pior.

O orgulho e o ego dizem:

- Sou um *empreendedor* porque comecei sozinho.
- Vou *vencer* porque, no momento, estou na frente.
- Sou um *escritor* porque publiquei algo.
- Sou *rico* porque ganhei algum dinheiro.
- Sou *especial* porque fui escolhido.
- Sou *importante* porque acho que devo ser.

Mais cedo ou mais tarde, todos nós cedemos a esse tipo de rótulos gratificantes. Contudo, toda cultura parece produzir palavras que alertam contra isso. Não conte com o ovo que a galinha ainda não botou. Não coloque o carro na frente dos bois. Não cante vitória antes do tempo. Não atire foguetes antes da festa. Quanto mais vazia a carroça, mais barulho ela faz. O orgulho precede a queda.

Chamemos essa atitude pelo que é: fraude. Se você está fazendo seu trabalho e se dedicando, não precisa trapacear nem buscar mais compensações do que merece.

O orgulho é um usurpador inteligente. Quando jovem, John D. Rockefeller praticava um diálogo consigo mesmo to-

O EGO É SEU INIMIGO

das as noites. "Só porque começou bem", dizia ele em voz alta ou escrevia em seu diário, "você acha que é um comerciante e tanto; cuidado, ou vai acabar perdendo a cabeça — vá com calma."

No início da carreira, ele havia tido algum sucesso. Conseguira um bom emprego. Estava economizando dinheiro. Tinha alguns investimentos. Considerando que seu pai fora um vigarista bêbado, isso não era pouco. Rockefeller estava no caminho certo. Compreensivelmente, uma espécie de satisfação pelas próprias conquistas — e pela trajetória que estava seguindo — começou a invadi-lo. Em um momento de frustração, ele certa vez gritou com o gerente de um banco que havia se recusado a lhe emprestar dinheiro: "Um dia eu serei o homem mais rico do mundo!"

Digamos que Rockefeller talvez tenha sido o único homem no mundo que disse essa frase e de fato *se tornou* o mais rico do mundo. Mesmo que tenha havido outros, para cada um como Rockefeller há pelo menos uma dúzia de babacas lunáticos que disseram as mesmas palavras, acreditando genuinamente nelas, e não chegaram nem perto de concretizarem esse devaneio — em parte porque o orgulho os sabotou e também fez outras pessoas os odiarem.

Era por isso que Rockefeller sabia que precisava manter o controle e administrar bem seu ego. Noite após noite, ele perguntava a si mesmo: "Você vai ser um tolo? Vai deixar esse dinheiro lhe subir à cabeça?" (Por menor que fosse a quantia.) "Fique de olhos bem abertos", advertia-se. "Não perca o equilíbrio."

Como ele mais tarde refletiria: "Tenho horror ao perigo da arrogância. Que coisa mais lastimável é quando um homem deixa um pequeno sucesso temporário iludi-lo, distorcer seu julgamento, e então se esquece do que é!" A arrogância cria um tipo de obsessão míope, onanística, que altera a perspectiva, a realidade, a verdade e o mundo ao nosso redor. O pequeno príncipe infantil da famosa história de Saint-Exupéry faz a mesma observação, lamentando que os "homens vaidosos nunca ouvem nada além de elogios". É exatamente por isso que não podemos nos dar ao luxo de termos a vaidade por tradutora.

Receba *feedback*, conserve a curiosidade e trace um curso apropriado na vida. O orgulho embota os sentidos. Ou, em alguns casos, aviva outras partes negativas de nós mesmos: a sensibilidade, o complexo de perseguição, a tendência a achar que tudo gira em torno de *nós*.

Quando preparava seus filhos e generais para sucedê-lo no final da vida, o famoso guerreiro e conquistador Gêngis Khan sempre alertava: "Se não conseguirem engolir o orgulho, vocês não poderão liderar." Mais tarde, ele disse que era mais difícil domar o orgulho do que um leão selvagem. Gostava da analogia da montanha, afirmando: "Até a mais alta das montanhas tem animais que, quando estão sobre ela, são mais altos do que a montanha."

Nós todos estamos inclinados a nos proteger da negatividade, das pessoas que nos desencorajam de perseguir nossa vocação ou duvidam dos planos que temos para nossa vida. Isso com certeza é um obstáculo com o qual devemos tomar cuidado, embora seja muito simples lidar com ele. O que nós não cultivamos é a capacidade de nos proteger contra a validação e a gratificação que vêm quase que imediatamente se demonstramos ter algum potencial. Não nos protegemos das pessoas que nos fazem sentir bem — ou melhor, que nos fazem sentir bem *demais*. Precisamos nos preparar para enfrentar o orgulho e cortar o mal pela raiz — ou ele cortará nossos sonhos pela raiz. Precisamos nos proteger da autoconfiança exagerada e da obsessão demasiada por nós mesmos. "O primeiro produto do autoconhecimento é a humildade", disse certa vez Flannery O'Connor. É assim que combatemos o ego: conhecendo-nos de verdade.

A pergunta a se fazer quando você sente orgulho, portanto, é: neste momento, estou deixando passar despercebido algo que alguém mais humilde conseguiria enxergar? O que estou evitando ou do que estou fugindo com meu estardalhaço, minha agitação e meus ornamentos? É muito melhor perguntar e responder isso agora, enquanto poucas coisas estão em jogo, do que mais tarde.

Vale alertar: só porque você é calado, não significa que está livre do orgulho. Crer, em seu íntimo, que é melhor do que os outros continua sendo orgulho. Continua sendo perigoso. "Aquilo de que tanto te orgulhas será tua ruína", escreveu Montaigne na viga de seu teto. É uma citação do dramaturgo Menander que termina com "você, que acha que é alguém".

Ainda estamos lutando, e os outros lutadores é que devem ser nossos pares, e não o orgulho ou a sensação de missão cumprida. Se não entendermos isso, o orgulho se apropria da noção que temos de nós mesmos e a coloca em conflito com a realidade de nossa posição, que é a de que ainda temos um longo caminho pela frente e muito a fazer.

Depois de ter batido a cabeça e ouvido o aviso de Mather, Franklin passou a vida inteira lutando contra o orgulho, pois queria conquistar várias realizações, e compreendeu que a so-

O PERIGO DO ORGULHO PRECIPITADO

berba tornaria tudo mais difícil. Por isso, apesar de todas as suas conquistas, que seriam estonteantes em qualquer era (riqueza, fama, poder), Franklin nunca precisou experimentar a maioria dos "infortúnios sofridos pelas pessoas que andam com a cabeça erguida demais".

No final das contas, não se trata de adiar o orgulho enquanto você não o merece. Não é "Não cante vitória antes do tempo", e sim "Não cante vitória". Você não conseguirá nada com isso.

TRABALHO, TRABALHO, TRABALHO

*O melhor dos planos não passa de boas intenções, a
não ser que seja deturpado em trabalho.*

— PETER DRUCKER

O pintor Edgar Degas, apesar de ser mais conhecido por
suas belas pinturas impressionistas de bailarinas, durante
um breve período flertou com a poesia. Dono de uma mente
brilhante e criativa, ele tinha todo o potencial para escrever
belos poemas — podia enxergar a beleza, era capaz de encontrar inspiração. No entanto, não existem grandes poemas de
Degas. E há um famoso diálogo que pode explicar o porquê
disso. Degas queixou-se para o amigo e poeta Stéphane Mallarmé sobre sua dificuldade de escrever: "Não consigo dizer o
que quero, apesar de estar tão cheio de ideias." A resposta de
Mallarmé foi impiedosa: "Não é com ideias, meu caro Degas,
que alguém escreve versos. É com palavras."

Ou melhor, com *trabalho*.

A distinção entre um profissional e um diletante está exatamente aqui: quando você aceita que ter uma ideia não é o bastante; que você precisa trabalhar até conseguir de fato recriar

O EGO É SEU INIMIGO

sua experiência com palavras escritas. Como explicou o filósofo e escritor Paul Valéry em 1938: "A função do poeta... não é
experimentar o estado poético: isso é algo particular. Sua função é provocá-lo nos outros." Ou seja, seu trabalho é produzir.

Ser ao mesmo tempo artista e artesão. Cultivar um produto
pela prática e pelo engenho em vez de mantê-lo em um plano
mental. É aqui que a abstração encontra o caminho e a realidade, onde trocamos o pensar e o falar pelo trabalhar.

"Uma reputação não é construída com aquilo que se pretende fazer", disse Henry Ford. A escultora Nina Holton tocou
no mesmo ponto no proeminente estudo sobre a criatividade
do psicólogo Mihaly Csikszentmihalyi. "O germe de uma
ideia", disse ela, "não produz uma escultura que se sustente
de pé. Ele fica apenas ali, inerte. Portanto, o próximo passo,
obviamente, é o trabalho árduo." O investidor e empreendedor em série Ben Horowitz foi mais direto: "O difícil não
é definir um objetivo grandioso, complicado, audaz. O difícil é
demitir pessoas quando você não consegue atingir esse objetivo... O difícil não é sonhar grande. O difícil é acordar no
meio da noite suando frio porque o sonho se transforma em
pesadelo."

É claro que você entende. Você sabe que tudo requer trabalho, e que o trabalho pode ser bastante difícil. Mas você *realmente* entende? Você tem noção de quanto trabalho vai ter?
Não estou falando do trabalho que você terá até conseguir sua
grande oportunidade, até fazer seu nome, mas trabalho e trabalho e mais trabalho, para sempre.

Serão necessárias dez mil ou vinte mil horas até a maestria?
A resposta é que não importa. Não há limite. Pensar em um
número é viver em um futuro condicional. Melhor dizendo,

TRABALHO, TRABALHO, TRABALHO

são necessárias muitas horas para chegar aonde queremos. Não se trata de brilhantismo, mas sim de empregar um trabalho contínuo. Ainda que essa não seja uma perspectiva muito atraente, ela deve ser encorajadora, pois significa que tudo está ao alcance para qualquer um de nós, contanto que tenhamos o condicionamento e a humildade necessários para sermos pacientes, e a força moral para trabalhar.

A esta altura, você provavelmente já entendeu por que o ego se arrepiaria diante dessa ideia. *Ao alcance?!*, ele se queixa. *Isso significa que você ainda não chegou lá.* É isso mesmo. Você não chegou. Ninguém chegou.

Nosso ego quer que as ideias e o fato de que pretendemos fazer alguma coisa com elas sejam o suficiente. Quer que as horas passadas *planejando* e em reuniões ou conversando com amigos impressionados sejam contabilizadas nos cálculos que o sucesso parece requerer. Quer ser bem pago por seu tempo e quer fazer a parte divertida — aquela que atrai atenção, crédito ou glória.

Esta é a realidade: a escolha daquilo em que empregaremos nossa energia decidirá, no final das contas, as nossas conquistas.

Quando jovem, Bill Clinton deu início a uma coleção de fichas pautadas nas quais escrevia os nomes e telefones de amigos e conhecidos que poderiam ser úteis quando ele entrasse na política. Todas as noites, antes de sequer ter uma razão para isso, ele percorria a caixa, dava telefonemas, escrevia cartas ou acrescentava anotações sobre interações. Ao longo dos anos, essa coleção cresceu até alcançar a marca de mil cartões (que posteriormente foram digitalizados). Foi isso que o colocou no Salão Oval e continua a lhe render dividendos.

Ou pensemos em Darwin, trabalhando por décadas em sua teoria da evolução, recusando-se a publicá-la por não estar per-

O EGO É SEU INIMIGO

feita. Quase ninguém sabia no que ele estava trabalhando. Ninguém disse: *Ei, Charles, não importa que você passe tanto tempo trabalhando nisso, porque seu trabalho é muito importante*. Eles não sabiam. *Ele* não teria como saber. Darwin só sabia que ainda não havia terminado, que poderia fazer melhor, e isso foi o bastante para fazê-lo seguir em frente.

Então: devemos nos sentar, sozinhos, e lutar com nosso trabalho? Um trabalho que pode ou não chegar a algum lugar, que pode ser desencorajador e doloroso? Nós *amamos* o trabalho, viver para trabalhar, e não o contrário? Nós *amamos* treinar, assim como os grandes atletas amam? Ou buscamos a atenção e a validação de curto prazo, quer isso nos lance na busca interminável por *ideias* ou simplesmente seja a distração da conversa e do papo furado?

Fac, si facis. (Se você vai fazer, faça.)

E há ainda outra expressão em latim muito apropriada: *Materiam superabat opus.* (O artesanato superava o material.) Estamos falando do material genético, emocional e financeiro que recebemos. É aí que começamos. Não controlamos isso. Por outro lado, controlamos o que fazemos com esse material, e se o desperdiçamos ou não.

Como o jovem jogador de basquete Bill Bradley faria questão de se lembrar: "Quando você não estiver treinando, lembre-se de que tem outra pessoa treinando em algum lugar, e quando você encontrá-lo, ele vai vencer." A Bíblia diz algo semelhante à sua própria maneira: "Felizes os servos cujo senhor os encontrar vigiando quando voltar." Você pode mentir para si mesmo, dizendo que está se esforçando, fingindo que está trabalhando, mas, em algum momento, outra pessoa vai aparecer. Você será testado e, muito provavelmente, desmascarado.

TRABALHO, TRABALHO, TRABALHO

Bradley foi considerado um dos melhores jogadores amadores dos Estados Unidos, e assim ganhou bolsa para estudar na Universidade de Oxford. Além disso, foi duas vezes campeão com o New York Knicks e senador americano. Ao tomá-lo como exemplo, dá para ter uma ideia de que esse tipo de dedicação gera resultados.

E é a atitude de Bradley que devemos imitar, pois não há triunfo sem trabalho duro.

Não seria ótimo se o trabalho fosse tão simples quanto deixar fluir a genialidade? Ou se você pudesse entrar em uma reunião e ter ideias incríveis de improviso? Você pega uma tela, joga tinta e eis que surge uma obra da arte moderna, certo? Aí está a fantasia. Ou melhor: aí está a mentira.

Vamos a outra máxima popular: finja até conseguir. Não surpreende que essa ideia tenha encontrado uma relevância cada vez maior em um mundo cada vez mais cheio de bobagens nocivas. Quando é difícil distinguir um produtor de verdade de alguém muito bom na autopromoção, é claro que as pessoas precisam jogar os dados e entrar no jogo da autoconfiança. Faça para não precisar fingir — esse é o segredo. Você consegue imaginar um médico tentando fazer menos do que isso? Ou um lançador (quarterback) de futebol americano, ou um peão de rodeio? Sejamos mais diretos ainda: você quer que essas pessoas finjam? Se não, por que você deveria?

Sempre que se sentar para trabalhar e sobreviver à sensação de que a recompensa está sendo adiada com isso, diga para si mesmo: "Estou passando no teste do marshmallow. Estou conquistando aquilo que move minha ambição. Estou fazendo um investimento em mim mesmo em vez de investir em meu ego." Dê-se um pouco de crédito por essa escolha, mas não muito, porque você precisa retornar à tarefa que tem diante de si: treinar, trabalhar, melhorar.

Trabalhar é sair para correr quando o mau tempo fez todo mundo ficar em casa. Trabalhar é avançar mesmo que as primeiras tentativas, esboços e protótipos sejam dolorosamente ruins. É ignorar os aplausos que os outros estão recebendo e, mais importante, ignorar quaisquer que sejam os aplausos que *você* esteja recebendo. Pois há trabalho a ser feito. O trabalho não *quer* ser bom. Ele é feito assim, apesar dos ventos contrários.

Há ainda outra expressão antiga: conhece-se um artífice pelas lascas que ele deixa. E é verdade. Então, para avaliar seu progresso, basta dar uma olhada no que ficou no chão.

PARA TUDO O QUE VEM A SEGUIR, O EGO É SEU INIMIGO

É sabido que
A humildade é a escada da ambição jovem.

— SHAKESPEARE

Nós sabemos aonde queremos chegar: ao sucesso. Queremos ser importantes. Ser ricos, ter reconhecimento e reputação também são ótimas ideias. Queremos tudo isso.

O problema é que não estamos convencidos de que a humildade pode nos fazer chegar lá. Morremos de medo de que, sendo humildes, como disse o reverendo dr. Sam Wells, acabemos "subjugados, pisoteados, constrangidos e irrelevantes".

Se perguntássemos ao nosso modelo Sherman como ele estava se sentindo na metade de sua carreira, ele provavelmente teria se descrito quase que nos mesmos termos listados acima. Não havia ganhado muito dinheiro. Não havia vencido muitas batalhas importantes. Não vira seu nome em placas ou manchetes. Naquele momento, antes da Guerra Civil, é possível que ele tivesse começado a questionar o caminho que escolhera e se aqueles que seguiam tal caminho terminavam em último.

O EGO É SEU INIMIGO

Esse é o pensamento que produz a barganha faustiana que transforma a ambição mais pura em um vício descarado. Em seus primeiros estágios, o ego pode ser temporariamente adaptável. A loucura pode se passar por audácia. Delírios podem se passar por confiança, e a ignorância, por coragem. Mas estamos apenas adiando os custos.

Ao refletir sobre o todo da vida de alguém, nunca foi dito: "Cara, aquele ego monstruoso sem dúvida valeu a pena."

O debate interno sobre a confiança lembra um famoso conceito do pioneiro do rádio Ira Glass que poderia ser chamado de Lacuna do Bom Gosto/Talento.

Todos nós que fazemos trabalhos criativos (…) entramos nisso porque temos bom gosto. Mas é como se houvesse uma lacuna, de modo que nos primeiros dois anos que você passa fazendo alguma coisa, o que faz não é muito bom (…) Não é tão bom mesmo. É algo que está *tentando* ser bom, tem a ambição de ser bom, mas não é tão bom. Mas seu bom gosto — aquilo que o levou a entrar no jogo —, seu bom gosto ainda assim é incrível, e é bom o bastante para que você possa perceber que está fazendo algo um tanto desapontador.

É precisamente nessa lacuna que o ego pode parecer reconfortante. Quem quer olhar para si mesmo e para seu trabalho e perceber que não é bom o suficiente? E é aqui que podemos tentar abrir caminho com a agressividade. Encobrir verdades difíceis pela mera força da personalidade, da determinação e da paixão. *Ou* podemos enfrentar nossos pontos fracos com honestidade e nos dedicarmos. Podemos deixar isso nos tornar humildes e ver claramente quais são nossos talentos e

PARA TUDO O QUE VEM A SEGUIR, O EGO É SEU INIMIGO

em que precisamos melhorar, para trabalhar firme na superação dessa lacuna. Desse modo, podemos desenvolver hábitos positivos que vão durar pelo resto da vida.

Se o ego era tentador na época de Sherman, hoje em dia somos como Lance Armstrong treinando para o Tour de France de 1999. Somos Barry Bonds se perguntando se deve entrar no laboratório Balco. Flertamos com a arrogância e com a fraude, e no processo superestimamos de maneira grosseira a importância de vencer a todo custo. Todos estão lucrando, diz o ego, você deveria lucrar também. *Não tem outro jeito de vencê-los*, pensamos.

É claro que a verdadeira ambição está em encarar a vida com confiança discreta apesar das tentações. Deixe que os outros peguem as muletas. Será uma luta solitária viver na realidade dizendo: "Não vou suavizar as coisas." Afirmar: "Serei eu mesmo, a melhor versão de mim. Estou nisto para ir até o fim, não importa quão brutal o jogo possa ser." *Fazer*, e não *ser*.

Para Sherman, foi precisamente sua escolha que o preparou para o período em que seu país e a história mais precisaram dele e que lhe permitiu encarar as imensas responsabilidades com que se deparou. Nessa luta silenciosa, ele forjou uma personalidade que era ambiciosa, porém paciente; inovadora sem ser precipitada; corajosa, mas não arriscada. Ele foi um *verdadeiro* líder.

Você também tem a chance de fazer isso. Jogar um jogo diferente. Ser *completamente* audaz em seus objetivos. Porque o que virá em seguida vai testá-lo de uma maneira que não pode ser compreendida agora. Porque o ego é o irmão maligno do sucesso.

E você está prestes a experimentar o que isso significa.

PARTE II

SUCESSO

Aqui estamos no topo de uma montanha que demos duro para escalar — ou, pelo menos, já podemos enxergar o topo dela. Agora, enfrentamos novas tentações e problemas. Respiramos o ar rarefeito de um ambiente implacável. Por que o sucesso é tão efêmero? É o ego que o abrevia. Seja o colapso dramático ou uma lenta erosão, ele é sempre possível e geralmente desnecessário. Paramos de aprender, paramos de ouvir e nos esquecemos do que importa. Tornamo-nos vítimas de nós mesmos e da competição. A sobriedade, uma mente aberta, organização e um propósito: eis ótimos estabilizadores. Eles equilibram o ego e o orgulho que nasce com a conquista e o reconhecimento.

SEJA QUAL FOR O SUCESSO QUE VOCÊ TENHA ALCANÇADO, O EGO É SEU INIMIGO...

Dois personagens diferentes nos são apresentados para emularmos: o primeiro, o da ambição orgulhosa e da avidez ostensiva. O outro, da modéstia humilde e da justiça equitativa. Dois modelos diferentes, duas imagens diferentes são exibidas diante de nós, de acordo com as quais podemos moldar nosso próprio caráter e comportamento; um é mais vistoso e reluzente; o outro é mais correto e primorosamente belo em seu traçado.

— ADAM SMITH

Durante uma reunião de negócios em janeiro de 1924, Howard Hughes pai, o bem-sucedido inventor e magnata de ferramentas, levantou-se em convulsões e morreu de infarto aos 54 anos. Seu filho, um rapaz calado, reservado e protegido de apenas 18 anos — ainda menor de idade perante a lei —, herdou três quartos da companhia particular, detentora de patentes e direitos de exploração cruciais para a extração do petróleo e que valiam quase um milhão de dólares. Vários familiares herdaram as ações remanescentes.

Em um ato de perspicácia quase incompreensível, o jovem Hughes, que muitos viam como um garotinho mimado, tomou a decisão de comprar as ações dos parentes e controlar

O EGO É SEU INIMIGO

toda a companhia. Contrariando as objeções dos parentes, Hughes usou seu patrimônio pessoal e quase todos os fundos da companhia para comprar as ações, e com isso consolidou o controle de um negócio que geraria bilhões de dólares em receitas líquidas no século seguinte.

Foi uma atitude ousada para um jovem com quase nenhuma experiência nos negócios. E foi com a mesma ousadia que, ao longo da carreira, ele criaria uma das trajetórias de negócios mais constrangedoras, esbanjadoras e desonestas da história. Em retrospecto, os anos que ele passou no comando do império Hughes lembram mais uma confusa onda de crimes do que um empreendimento capitalista.

Não se pode negar que Hughes era talentoso, visionário e brilhante. Ele era. Literalmente um gênio da mecânica, também foi um dos melhores e mais corajosos pilotos nos primeiros dias da aviação. E, como empresário e cineasta, tinha a habilidade de prever mudanças impactantes e de longo prazo que transformariam não apenas as indústrias em que estava envolvido, mas o próprio país.

No entanto, se filtrarmos essa sagacidade da lenda, do glamour e da autopromoção de que ele era tão adepto, ficamos apenas com uma imagem: a de um egomaníaco que fez evaporar *centenas de milhões* de dólares da própria fortuna e que teve um fim infeliz e patético. Não por acidente, não porque foi sobrepujado por circunstâncias imprevisíveis ou pela concorrência, mas quase exclusivamente pelas próprias ações.

Um breve resumo de seus feitos — se é que podemos chamá-los assim — oferece uma visão chocante:

Depois de comprar da família o controle da companhia de ferramentas do pai, Hughes abandonou-a quase que ime-

SUCESSO

diatamente, embora tenha drenado repetidas vezes o dinheiro dela. Ele deixou Houston e nunca mais voltou a colocar os pés na sede da companhia. Mudou-se para Los Angeles, onde decidiu se tornar cineasta e celebridade. Deitado em sua cama, comprava e vendia ações chegando a perder mais de 8 milhões de dólares no mercado pouco antes da Depressão. Seu filme mais conhecido, *Anjos do inferno*, levou três anos para ficar pronto e teve um prejuízo de 1,5 milhão sobre um orçamento de 4,2 milhões, quase levando a companhia de ferramentas à falência. Sem aprender a lição, no início dos anos 1930 Hughes perdeu mais 4 milhões de dólares em ações da Chrysler.

Depois disso, ele deixou tudo de lado para entrar no ramo da aviação, fundando a companhia de defesa Hughes Aircraft Company. Apesar de algumas façanhas pessoais impressionantes como inventor, a companhia de Hughes foi um fracasso. Seus dois projetos durante a Segunda Guerra Mundial, de 40 milhões de dólares, foram grandes fiascos produzidos à custa do contribuinte norte-americano e de seu próprio bolso. O mais notável, *Spruce Goose* — apelidado por Hughes de *Hercules* e um dos maiores aviões já construídos —, levou mais de cinco anos para ser desenvolvido, custou cerca de 20 milhões de dólares e fez um único voo de apenas 1,5 km a meros 20 metros acima do nível do mar. Por sua insistência e também a sua custa, o avião passaria décadas em um hangar com ar-condicionado em Long Beach, o que lhe custaria 1 milhão de dólares por ano. Decidindo dobrar as apostas na indústria cinematográfica, Hughes comprou o estúdio RKO e produziu perdas de mais de 22 milhões de dólares (fazendo o estúdio passar de dois mil funcionários para menos de quinhentos enquanto o derrubava ao longo de vários anos). Depois de ter se cansado desses negócios, do mesmo jeito que havia se cansado da empresa de ferramentas, ele deixou de lado o fornecimento de produtos para o Departamento de Defesa do governo e entregou os contratos e a companhia a executivos, o que permitiu que ela começasse a prosperar... devido a sua ausência.

Faria sentido parar por aqui e evitar elaborar demais o assunto, mas, assim, pularíamos a chocante fraude fiscal de Hughes; os acidentes aéreos e os acidentes automobilísticos fatais; os milhões que ele desperdiçou com detetives particulares, advogados, contratos com atrizes iniciantes que ele se recusava a deixar atuarem, propriedades onde nunca morou; o fato de que a única coisa que o levou a se comportar com responsabilidade foi a ameaça de exposição pública; a paranoia, o racismo e as intimidações; os casamentos fracassados; a dependência química; e dúzias de outros investimentos e negócios mal administrados.

"O fato de termos feito de Howard Hughes um herói", disse uma jovem Joan Didion, "pode nos dizer algo interessante sobre nós mesmos." E ela está completamente certa, pois, apesar de sua reputação, talvez Howard Hughes tenha sido um dos piores empresários do século XX. Geralmente, quando um homem de negócios fracassa, ele abandona o negócio, dificultando a identificação do que de fato causou o fracasso. Mas, graças aos lucros sólidos da companhia do pai, que Hughes considerava chata demais para tomar parte dela, ele pôde continuar solvente, o que nos permitiu observar os danos contínuos causados por seu ego — a ele próprio, às pessoas ao seu redor e ao que ele queria conquistar.

SUCESSO

Há uma cena reveladora da lenta deterioração da sanidade de Hughes: seus biógrafos o descrevem sentado, nu, em sua cadeira branca favorita, sujo, desgrenhado, trabalhando 24 horas por dia em sua batalha contra advogados, investigadores e investidores na tentativa de salvar seu império e esconder seus segredos vergonhosos. Em dado momento, ele ditava um extenso memorando irracional sobre as caixas de lenços Kleenex, sobre o preparo de alimentos ou sobre como seus funcionários não deveriam se dirigir diretamente a ele, para, em seguida, pensar em uma estratégia brilhante capaz de lhe permitir escapar das mãos de credores e inimigos. Eles observam que era como se sua mente e os negócios estivessem divididos em duas partes. Era como, segundo escreveram, se "a IBM tivesse deliberadamente fundado duas subsidiárias, uma para produzir computadores e lucros, e outra para produzir Edsels e perdas". Se alguém estivesse procurando uma metáfora pungente para o ego e a destruição, seria difícil encontrar algo melhor do que a imagem de um homem trabalhando furiosamente com uma das mãos em direção a uma meta e a outra se esforçando igualmente para sabotá-la.

Como todos nós, Howard Hughes não era completamente louco nem completamente são. Seu ego, alimentado e exacerbado por enfermidades físicas (a maioria proveniente de acidentes aéreos e automobilísticos causados por ele mesmo) e vários vícios, o conduziu a uma escuridão muito difícil de compreendermos. Houve breves momentos de lucidez em que a mente perspicaz de Hughes veio à tona — os momentos em que ele fez alguns de seus melhores movimentos. Contudo, com o passar do tempo, esses momentos foram se tornando cada vez mais raros. No final das contas, o ego cooperou tanto para a morte de Howard Hughes quanto as manias e o trauma — se é que alguma vez foram coisas distintas.

Só podemos enxergar isso se quisermos. É mais atraente e excitante ver o bilionário rebelde, o excêntrico, o renome mundial e sua fama, e pensar: *ah, como eu quero isso*. Você não quer. Howard Hughes, como tantas outras pessoas ricas, morreu em um asilo que ele mesmo criou. Teve poucas alegrias. Não aproveitou quase nada do que tinha. E, o mais importante, *desperdiçou*. Desperdiçou muito talento, coragem e energia.

Sem virtudes e treinamento, observou Aristóteles, "é difícil produzir resultados adequados confiando na boa sorte". Podemos aprender algo com Hughes pelo fato de ele ter sido tão pública e visivelmente incapaz de aproveitar seus privilégios de nascença. Sua fome insaciável pelos holofotes, não importando quão pouco lisonjeiros fossem, serve de oportunidade para vermos nossas próprias tendências e lutas com o sucesso e a sorte, refletidas em sua vida tumultuosa. Seu ego gigante e seu caminho destrutivo em Hollywood, na indústria bélica, em Wall Street e na indústria da aviação nos dão um vislumbre sobre alguém que foi repetidamente derrubado por impulsos que todos temos.

É claro que ele está longe de ser a única pessoa da história a ter seguido tal trajetória. Você quer segui-la também?

Às vezes, o ego é suprimido na ascensão. Às vezes, uma ideia é tão poderosa, ou seu momento tão perfeito, ou se nasce com tanta riqueza e tanto poder, que isso pode, temporariamente, servir de apoio ou até compensar um ego exacerbado. Com a chegada do sucesso, como acontece com um time que acabou de vencer um campeonato, o ego começa a brincar com nossas mentes e enfraquecer a própria vontade que nos

SUCESSO

levou à vitória. Sabemos que impérios sempre caem, então devemos refletir sobre a razão para sua queda — e por que eles sempre parecem ruir de dentro para fora.

Harold Geneen foi o CEO que mais ou menos inventou o conceito do conglomerado internacional moderno. Por meio de uma série de aquisições, fusões e incorporações (um total de mais de 350), ele levou uma pequena companhia chamada ITT de uma receita de 1 milhão de dólares, em 1959, a quase 17 *bilhões* de dólares, em 1977, o ano em que se aposentou. Alguns dizem que Geneen era um egoísta — seja como for, ele falava honestamente sobre os efeitos que o ego tinha sobre seus empreendimentos e alertava os executivos a respeito disso.

"A pior doença que pode afetar o trabalho de um executivo não é, como a maioria das pessoas supõe, o alcoolismo; é o egoísmo", disse Geneen, em uma fala que se tornou famosa. Na era dos *Mad Men* dos Estados Unidos corporativo, havia um grande problema com o alcoolismo, mas o ego tem as mesmas raízes — insegurança, medo, aversão à objetividade inclemente. "Não importa em qual nível da hierarquia administrativa se está, o egoísmo pessoal desenfreado cega o homem para as realidades a seu redor; ele passa a viver cada vez mais em um mundo da própria imaginação; e como acredita, com honestidade, que não pode errar, torna-se uma ameaça para os homens e mulheres que precisam trabalhar sob a sua direção", escreveu Geneen em suas memórias.

Aqui estamos depois de termos conquistado algo. Depois de nos darmos o devido crédito, o ego quer que pensemos: *sou especial. Sou melhor. As regras não se aplicam a mim.*

"O homem é conduzido por motivações", observou Viktor Frankl. "Mas é impulsionado por valores." Ser governado ou

O EGO É SEU INIMIGO

governar? O que você quer fazer? Sem os valores certos, o sucesso é breve. Se desejamos fazer mais do que brilhar, se quisermos perseverar, então é chegada a hora de aprender a combater essa nova forma de ego e quais são os valores e princípios necessários para vencê-la.

O sucesso é intoxicante. No entanto, sua manutenção requer sobriedade. Não podemos continuar aprendendo se pensarmos que já sabemos tudo. Não podemos nos deixar levar por mitos que nós mesmos criamos, ou pelo ruído e pelo falatório do mundo exterior. Precisamos entender que não passamos de uma pequena parte de um universo interconectado. Acima de tudo, precisamos construir uma organização e um sistema em torno do que fazemos — cujo foco seja o *trabalho*, e não *nós mesmos*.

Este é o veredito de Hughes: ele foi destruído pelo ego. Um julgamento semelhante espera por nós em algum momento. Ao longo de sua carreira, você irá se deparar com as mesmas escolhas que ele teve de fazer — que todas as pessoas precisam fazer. Seu império pode ter sido construído do nada ou herdado, sua riqueza pode ser financeira ou apenas um talento cultivado, mas em todas essas possibilidades a entropia está tentando destruí-la no exato momento em que você lê isto.

Você é capaz de lidar com o sucesso? Ou ele é a pior coisa que pode lhe acontecer?

SEJA SEMPRE UM APRENDIZ

Todo homem que conheço é meu mestre em algum momento, e assim aprendo com ele.

— RALPH WALDO EMERSON

A lenda de Gêngis Khan ecoa através da história: um conquistador bárbaro, motivado pela sede de sangue, aterrorizando o mundo civilizado. É possível imaginá-lo com sua horda mongol atravessando a Ásia e a Europa, insaciáveis, não parando por nada, saqueando, estuprando e matando não apenas quem cruzava seu caminho, mas também as culturas que essas pessoas haviam construído. Em seguida, do mesmo jeito que acontecia com seu bando de guerreiros nômades, essa nuvem terrível simplesmente desapareceu da história. O motivo? Os mongóis não construíram nada duradouro.

Como todas as análises reacionárias e movidas pela emoção, isso não poderia estar mais errado. Gêngis Khan não foi só uma das maiores mentes militares que já viveram, como foi um eterno estudante cujas vitórias incríveis costumavam ser o resultado de sua capacidade de absorver as melhores tecnologias, práticas e inovações de cada cultura que seu império tocava.

De fato, se há um tema para o seu reinado e os vários *séculos* de domínio dinástico que se seguiram, esse tema é: apropriação. Sob a direção de Gêngis Khan, os mongóis eram tão implacáveis no roubo e na absorção do melhor de cada cultura que encontravam quanto na própria conquista. Embora não haja praticamente nenhuma invenção tecnológica, nenhuma bela construção e nenhuma bela obra de arte que possa ser atribuída aos mongóis, a cada batalha e a cada inimigo sua cultura aprendia e absorvia algo novo. Gêngis Khan não nasceu um gênio. Em vez disso, como destacou um biógrafo, ele mergulhou em um "ciclo persistente de aprendizado pragmático, adaptações experimentais e correções constantes motivadas por sua disciplina única, por seu foco e determinação."

Ele foi o maior conquistador que o mundo já conheceu porque estava mais aberto ao aprendizado do que qualquer outro conquistador jamais esteve.

As maciças vitórias de Khan provinham da reorganização de suas unidades militares, pela qual dividia seus soldados em grupos de dez. Ele roubou a estratégia das tribos turcas vizinhas e, sem saber, converteu os mongóis ao sistema decimal. Não demorou para que a expansão de seu império os colocasse em contato com outra "tecnologia" com a qual nunca haviam se deparado: as cidades protegidas por muros. Nos ataques a Tangut, Khan logo aprendeu as singularidades da guerra contra cidades fortificadas e as estratégias críticas para consolidar um cerco, tornando-se rapidamente um *expert* no assunto. Mais tarde, com a ajuda de engenheiros chineses, ensinou seus soldados a construir armas capazes de derrubar os muros das cidades. Nas campanhas contra os jurchens, Khan aprendeu a importância de conquistar também corações e mentes.

SEJA SEMPRE UM APRENDIZ

Trabalhando com estudiosos e as famílias reais das terras que conquistava, ele pôde conservar e administrar os territórios de maneiras que a maioria dos impérios não conseguia. A partir daí, em cada país ou cidade que conquistava, Khan convocava os melhores astrólogos, escribas, médicos, pensadores e conselheiros — qualquer um que pudesse ajudar suas tropas no trabalho. As tropas viajavam com interrogadores e tradutores precisamente com esse propósito.

Esse hábito sobreviveria à sua morte. Embora os mongóis parecessem dedicados quase unicamente à arte da guerra, eles empregavam bem cada artesão, comerciante, estudioso, artista, cozinheiro, enfim, todos os profissionais talentosos com quem haviam entrado em contato. O Império Mongol foi extraordinário pelas liberdades de culto, mas, acima de tudo, pelo amor às ideias e pela convergência de culturas. Ele levou limões para a China e o macarrão chinês para o Ocidente. Disseminou os tapetes persas, a tecnologia de mineração alemã, o trabalho em metal francês e o islã. O canhão, que revolucionou a arte da guerra, de acordo com relatos, foi o resultado da fusão entre a pólvora chinesa, o lança-chamas muçulmano e o trabalho em metal europeu. Foi a acolhida mongol ao aprendizado e às novas ideias que reuniu todos esses elementos.

Quando obtemos nossas primeiras conquistas, nós nos surpreendemos em novas situações, deparando-nos com novos problemas. O soldado recém-promovido deve aprender a arte da política. O comerciante, a gerenciar. O criador, a delegar. O escritor, a editar os outros. O comediante, a atuar. O chef que se torna dono de restaurante, a administrar o outro lado da casa.

Fazer o contrário não é apenas um ato de arrogância inofensivo. O físico John Wheeler, que ajudou a desenvolver a bomba de hidrogênio, certa vez observou que "à medida que nossa ilha de conhecimento cresce, o mesmo acontece com a praia da nossa ignorância". Em outras palavras, cada vitória e avanço que tornavam Khan mais inteligente também o colocavam em contato com novas situações desconhecidas. É preciso ter um tipo especial de humildade para compreender que você sabe menos, mesmo que saiba e aprenda cada vez mais. Isso é lembrar que a sabedoria de Sócrates estava no fato de ele saber que era quase nada o que sabia.

Com o bom desempenho, surge uma pressão crescente de fingir que sabemos mais do que de fato sabemos. De fingir que já sabemos tudo. *Scientia infla* (o conhecimento infla). Aí é que moram a preocupação e o risco: em pensar que estamos consolidados e seguros, quando, na realidade, a compreensão e a maestria são um processo fluido, contínuo.

Ganhador de nove Grammys e de um prêmio Pulitzer, o músico de jazz Wynton Marsalis certa vez aconselhou um jovem músico promissor a respeito da mentalidade necessária ao estudo perpétuo da música: "A humildade gera o aprendizado porque repele a arrogância que coloca vendas em seus olhos. Ela deixa você aberto para que as verdades se revelem sozinhas. Você não bloqueia seu próprio caminho (...) Sabe como detectar se alguém é realmente humilde? Acredito que existe um teste simples: como observam e ouvem constantemente, os humildes se aperfeiçoam. Eles não presumem 'Já sei o caminho'."

Não importa o que você tenha feito até agora, é melhor continuar sendo um aprendiz. Se não estiver mais aprendendo, você já está morrendo.

SEJA SEMPRE UM APRENDIZ

Não basta ser um aprendiz apenas no início. Essa é uma posição que precisamos assumir por toda a vida. Aprenda com *todo mundo* e com *tudo*. Tanto com as pessoas que você supera quanto com as que o superam; tanto com as pessoas de quem não gosta quanto com seus supostos inimigos. A cada passo e a cada conjuntura na vida, temos a oportunidade de aprender, e mesmo que as lições sejam puramente terapêuticas, não devemos deixar o ego nos impedir de ouvi-las outra vez.

Com muita frequência, seguros quanto a nossa própria capacidade intelectual, permanecemos na zona de conforto que garante que nunca nos sintamos estúpidos (e nunca sejamos desafiados a aprender ou reconsiderar o que sabemos). Isso obscurece vários pontos fracos de nosso entendimento, até ser tarde demais para mudarmos o curso. É aí que sentimos o custo silencioso de nossa atitude.

Cada um de nós enfrenta uma ameaça enquanto avança na profissão escolhida. Feito sereias nas rochas, o ego canta uma canção reconfortante, validadora, mas que pode nos conduzir ao naufrágio. No segundo em que deixamos o ego nos dizer que estamos *prontos*, o aprendizado para. Foi por isso que Frank Shamrock disse: *"Seja* sempre um aprendiz." Portanto, o aprendizado nunca acaba.

A solução é simples, embora a princípio seja desagradável: pegue um livro sobre um assunto que você sabe pouco ou desconhece completamente; frequente ambientes onde você seja a pessoa com menos conhecimento. Essa sensação desagradável, a atitude defensiva que você naturalmente adota quando suas suposições mais arraigadas são desafiadas — e se você se submeter a isso de maneira *deliberada*? Mude de ambiente.

O EGO É SEU INIMIGO

Um amador fica sempre na defensiva. O profissional acha o aprendizado (e, de vez em quando, até mesmo ser contestado) divertido; ele gosta de ser desafiado e forçado a ser humilde, e encara a educação como um processo contínuo e interminável.

A maioria das culturas militares — e das sociedades em geral — busca impor valores e controlar tudo com que se depara. O que diferenciava os mongóis era sua capacidade de analisar cada situação com objetividade e, se necessário fosse, trocar práticas antigas por novas. Todos os grandes negócios começam assim, mas então algo acontece. Consideremos a teoria da ruptura, segundo a qual em algum momento toda indústria será desmantelada por uma nova tendência ou inovação à qual, mesmo com todos os recursos do mundo, os interesses vigentes serão incapazes de reagir. Qual seria a razão por trás disso? Por que os negócios não conseguem mudar e se adaptar?

Em grande parte, porque perderam a capacidade de aprender. Deixaram de ser aprendizes. No segundo em que isso acontece com você, seu conhecimento se torna frágil.

O grande administrador e teórico dos negócios Peter Drucker diz que não basta apenas querer aprender. À medida que as pessoas progridem, elas precisam também entender *como* aprender e então estabelecer processos para facilitar essa educação contínua. De outro modo, estaremos fadados a um tipo de ignorância autoimposta.

NÃO CONTE UMA HISTÓRIA
A SI MESMO

O mito torna-se mito não quando é vivido, mas quando é contado.

— DAVID MARANISS

Em 1979, o técnico e gerente geral de futebol americano Bill Walsh deu início ao processo que levaria os 49ers da posição de pior time do futebol americano — e talvez de todos os esportes profissionais — a uma vitória no Super Bowl em apenas três anos. Deve ter sido tentador erguer o Troféu Lombardi e dizer a si mesmo que a reviravolta mais rápida da história da NFL fora seu plano desde o início. Deve ter sido tentador assumir a mesma narrativa décadas depois, quando ele reuniu suas memórias.

Seria uma história envolvente: sua nomeação como técnico, a reviravolta e a transformação haviam sido planejadas assiduamente; tudo acontecera exatamente como ele queria — porque Walsh era bom e talentoso a esse ponto. Ninguém iria desmenti-lo se ele dissesse isso.

No entanto, ele se recusou a ceder a essas fantasias. Quando do alguém perguntava a Walsh se ele havia feito um cronogra-

O EGO É SEU INIMIGO

ma para vencer o Super Bowl, a resposta era sempre *não*. Porque, quando se assume um time tão ruim, só um lunático pode ter esse tipo de ambição.

Um ano antes de sua chegada, os 49ers terminaram a temporada com duas vitórias e catorze derrotas. A organização estava desmoralizada, quebrada, fechada à convocação de jogadores e completamente acostumada à cultura da derrota. Na primeira temporada de Walsh, eles perderam mais catorze jogos. Ele quase pediu demissão na metade de seu segundo ano no time, porque não sabia se conseguiria fazer algo ali. Contudo, 24 meses após ter assumido (e pouco mais de um ano depois de ter quase desistido), lá estava ele, o "gênio" campeão do Super Bowl.

Como isso aconteceu? Como isso não fez parte do "plano"?

A resposta é que quando Bill Walsh assumiu o controle, ele não estava concentrado exatamente em vencer. Em vez disso, implementou o que mais tarde chamaria de "Padrões de desempenho". Isto é: *o que* deveria ser feito; *quando*; *como*. Desde o nível mais baixo, passando por toda a organização, Walsh tinha apenas um cronograma: o de infundir esse padrão.

Ele se concentrou em detalhes aparentemente triviais: os jogadores não podiam se sentar no campo de treino; os técnicos precisavam usar gravata e a camisa por dentro da calça. Todo mundo precisava investir o máximo em esforço e comprometimento. O espírito esportivo era essencial. O vestiário devia estar sempre arrumado e limpo. Era proibido fumar, brigar e usar palavrões. Os lançadores (quarterbacks) recebiam orientações sobre onde e como segurar a bola. Os homens da linha de defesa (linemen) treinavam separadamente uma série de trinta exercícios essenciais. As rotas de passe eram monito-

NÃO CONTE UMA HISTÓRIA A SI MESMO

radas e medidas *centímetro por centímetro*. A programação dos treinos era detalhada até os últimos minutos.

Seria um erro pensar que se tratava de controle. O objetivo dos "Padrões de desempenho" era incutir a excelência. Esses padrões aparentemente simples, porém exigentes, tiveram mais efeito do que uma visão grandiosa ou demonstração de poder. Aos olhos de Walsh, se os jogadores cuidassem bem dos detalhes, "a pontuação seria um resultado natural". A vitória aconteceria.

Walsh era forte e confiante o suficiente para saber que esses padrões no final das contas contribuiriam para a vitória. Também tinha humildade para saber que não poderia prever *quando* a vitória aconteceria. Ela havia acontecido mais rápido do que acontecera para qualquer outro técnico na história? Bem, fora um golpe de sorte, e não um resultado da visão esplêndida de Walsh. Aliás, em sua segunda temporada, um técnico se queixou para o proprietário do clube de que Walsh estava preso demais a detalhes e não tinha a vitória como objetivo. Walsh demitiu o técnico por fazer fofoca.

Estamos tão desesperados para acreditar que aqueles que têm grandes impérios queriam *desde o início* construí-los. Por quê? Para podermos ceder ao desejo de planejar o nosso. Para podermos receber todo o crédito pelo bem que por acaso gerarmos e pelas riquezas e respeito que viermos a conquistar. A narrativa surge quando você olha para o caminho improvável que o levou ao sucesso e diz: eu sempre soube. Isso em vez de: eu esperava; trabalhei; tive alguns golpes de sorte. Ou até: eu achava que isso *poderia* acontecer. É claro que você não sabia o tempo todo — ou, se sabia, era mais esperança do que certeza. Mas quem quer se lembrar o tempo todo de que duvidou de si mesmo?

O EGO É SEU INIMIGO

Criar histórias a partir de eventos passados é um impulso humano. Também é perigoso e falso. A escrita de nossas próprias narrativas leva à arrogância. Isso transforma nossa vida em uma história — e nos transforma em caricaturas — enquanto ainda temos de vivê-la. Como o autor Tobias Wolff escreveu em seu romance *Meus dias de escritor*, essas explicações e histórias acabam "pavimentadas juntas mais tarde, mais ou menos de forma sincera, e depois de as histórias terem sido repetidas, elas recebem o distintivo da memória e bloqueiam todas as outras rotas de exploração".

Bill Walsh compreendia que, na realidade, haviam sido os "Padrões de desempenho" — as coisas ilusoriamente pequenas — os responsáveis pela transformação e pela vitória do time. Mas isso é chato demais para as manchetes dos jornais. É por isso que ele os ignorava quando o chamavam de "o Gênio".

Aceitar o título e a história não teria sido uma gratificação pessoal inofensiva. Essas narrativas não mudam o passado, mas têm o poder de afetar negativamente nosso futuro.

Seus jogadores não tardariam a demonstrar os riscos de deixar uma história subir à cabeça. Como a maioria de nós, eles queriam acreditar que sua vitória improvável ocorrera porque eram especiais. Nas duas temporadas que se seguiram ao seu primeiro Super Bowl, o time teve fracassos terríveis, em parte por causa da perigosa confiança que acompanha esse tipo de vitória, perdendo doze dos 22 jogos que disputaram. É isso o que acontece quando você se dá o crédito por forças que ainda não controla. É o que acontece quando uma pessoa pensa no que suas rápidas conquistas *dizem sobre ela mesma* e começa a reduzir o esforço e os padrões que levaram a elas.

NÃO CONTE UMA HISTÓRIA A SI MESMO

Só quando o time retornou inteiramente comprometido aos "Padrões de desempenho" foi que voltou a ganhar (mais três Super Bowls e nove campeonatos regionais em uma década). Apenas quando abandonaram as narrativas e se concentraram na tarefa que tinham foi que retomaram as vitórias de antes.

E aqui está a segunda parte: depois que você vence, todo mundo passa a apontar para você. O momento em que se chega no topo é aquele em que você menos pode se dar ao luxo de se entregar ao ego — como os riscos são muito mais altos, as margens para erro são muitos menores. No mínimo, sua capacidade de ouvir, receber *feedback*, melhorar e crescer é mais importante do que nunca.

Fatos são melhores do que histórias e imagens. O financista do século XX Bernard Baruch tinha uma ótima frase: "Não tente comprar na baixa e vender na alta. Ninguém consegue fazer isso — exceto os mentirosos." Isto é, os comentários das pessoas sobre o que estão fazendo no mercado raramente são confiáveis. Jeff Bezos, fundador da Amazon, já falou sobre essa tentação. Ele gosta de lembrar a si mesmo que não houve um "momento arrá" para seu gigante de bilhões de dólares, não importa o que leia em seus próprios clippings da imprensa. Fundar uma empresa, ganhar dinheiro no mercado financeiro ou desenvolver uma ideia é algo caótico. Reduzir uma dessas coisas a uma narrativa cria uma clareza que nunca existiu nem nunca existirá.

Quando temos aspirações, devemos resistir ao impulso de usar engenharia reversa para entender o sucesso a partir das histórias de outras pessoas. Quando alcançamos nosso próprio sucesso, devemos resistir ao desejo de fingir que tudo se desen-

O EGO É SEU INIMIGO

rolou exatamente como planejado. Não houve nenhuma narrativa grandiosa. Você deve se lembrar disso, pois estava lá quando aconteceu.

Alguns anos atrás, um dos fundadores do Google deu uma palestra em que disse que avalia companhias e empreendedores em potencial perguntando "se eles vão mudar o mundo". Não há qualquer problema nisso, mas não foi assim que o Google começou. (Larry Page e Sergey Brin eram dois estudantes de doutorado na Universidade Stanford trabalhando em suas teses.) Não foi como o YouTube começou. (Seus fundadores não estavam tentando reinventar a TV; eles só queriam encontrar uma maneira de compartilhar vídeos engraçados.) Aliás, não foi assim que maioria das fortunas foram criadas.

Paul Graham (que investiu no Airbnb, no reddit, no Dropbox e em outras startups), trabalhando na mesma cidade que Walsh algumas décadas depois, alerta explicitamente as startups contra o risco de terem visões ousadas e arrebatadoras logo no início. É claro que, como capitalista, ele quer fundar empresas capazes de provocar mudanças massivas nas indústrias e no mundo — pois é aí que mora o dinheiro. Quer que eles tenham ideias "assustadoramente ambiciosas", mas explica: "O caminho para fazer coisas realmente importantes parece ser começar com coisas que, aparentemente, são pequenas." O que ele está dizendo é que não podemos fazer um ataque frontal confiando no ego; em vez disso, devemos começar com uma aposta pequena e aumentar aos poucos nossas ambições. Seu outro conselho famoso, "Mantenha sua personalidade pequena", também se encaixa bem aqui. Que o foco seja o trabalho e os princípios por trás dele, e não uma visão gloriosa que se encaixe em uma boa manchete.

NÃO CONTE UMA HISTÓRIA A SI MESMO

Napoleão mandou gravar as palavras "Ao Destino!" na aliança de casamento que deu à esposa. Foi no destino que ele sempre acreditou. Era com base nele que justificava suas ideias mais ousadas e ambiciosas. Também foi por isso que ele deu vários passos maiores do que as pernas, até encontrar seu verdadeiro destino: divórcio, exílio, derrota e infâmia. Um grande destino, como Sêneca nos lembra, é uma grande escravidão.

Corremos um risco real ao acreditarmos quando as pessoas usam a palavra "gênio", e é ainda mais perigoso quando deixamos a arrogância nos dizer que somos gênios. O mesmo se aplica ao rótulo que acompanha uma carreira: de repente, você é um "cineasta", "escritor", "investidor", "empreendedor" ou "executivo" por causa de uma realização? Esses rótulos nos colocam em conflito não apenas com a realidade, mas com a própria estratégia que nos permitiu o sucesso. Nessa posição, podemos pensar que o sucesso futuro não passa da próxima etapa natural da história — quando, na verdade, ele está enraizado no trabalho, na criatividade, na persistência e na sorte.

O Google, ao alienar-se das próprias raízes (trocando visão confusa e potencial por *proezas científicas e tecnológicas*), sem dúvida não tardará a tropeçar. Na verdade, os fracassos públicos de projetos como o Google Glass e o Google Plus podem ser uma evidência de que isso já está acontecendo. E eles não estão sozinhos. Com frequência, artistas que acreditam que a "inspiração" ou a "dor" alimentam sua arte e que criam uma imagem em torno disso — e não do trabalho e do esforço honesto — acabarão no fundo de uma garrafa ou na ponta de uma agulha.

O mesmo se aplica a nós, não importa o que façamos. Em vez de fingir que estamos vivendo alguma grande história, devemos continuar concentrados na execução e em executar com excelência. Precisamos nos afastar do ouro de tolo e continuar trabalhando naquilo que nos alçou até ali.

Pois essa é a única coisa que vai manter o que foi conquistado até esse ponto.

O QUE É IMPORTANTE PARA VOCÊ?

Saber do que você gosta é o princípio da sabedoria e do amadurecimento.

— ROBERT LOUIS STEVENSON

No final da Guerra Civil, Ulysses S. Grant e seu amigo William Tecumseh Sherman eram dois dos homens mais respeitados e importantes dos Estados Unidos. A esses que foram os dois arquitetos da vitória da União, um país grato disse, em um estalar de dedos: enquanto viverem, o que quer que vocês queiram será seu.

Com essa liberdade à disposição, Sherman e Grant seguiram caminhos diferentes. O primeiro, de quem já falamos, abominava a política e rejeitou uma série de convites para concorrer a cargos políticos. "Já tenho o cargo que quero", dizia. Ao que parecia, Sherman havia dominado seu ego e, depois de se aposentar, mudou-se para a cidade de Nova York, onde viveu, ao que tudo indica, uma vida feliz e satisfatória.

Grant, que ainda não havia expressado praticamente nenhum interesse pela política e na verdade fora bem-sucedido como general precisamente por não saber praticá-la, escolheu,

O EGO É SEU INIMIGO

por sua vez, concorrer ao cargo mais elevado da nação: a presidência. Eleito por uma vitória esmagadora, ele presidiu uma das administrações mais corruptas, conflituosas e ineficazes da história norte-americana. Por ser um indivíduo genuinamente bom e leal, ele não era talhado para o trabalho sujo de Washington, e o impacto foi enorme. Grant deixou a presidência como uma figura caluniada e controversa depois de dois mandatos exaustivos, quase surpreso pelo péssimo desempenho que teve.

Depois da presidência, ele investiu praticamente até o último centavo que tinha na criação de uma agência de corretagem com um investidor controverso chamado Ferdinand Ward. Ward, um Bernie Madoff de sua época, transformou a agência em um esquema Ponzi e levou Grant à falência pública. Como Sherman escreveu cheio de solidariedade e compreensão pelo amigo, Grant tivera "o objetivo de rivalizar com os milionários, que teriam dado todo o seu dinheiro para ter vencido pelo menos uma de suas batalhas". Grant havia conquistado muito, mas para ele não parecia ser o suficiente. Ele não conseguia decidir o que era relevante, o que importava de verdade para si.

É isso que parece: nunca estamos felizes com o que *nós* temos, queremos também o que os outros têm. Queremos *mais* do que todo mundo. No começo, sabemos o que é importante para nós, mas depois que alcançamos essa meta, esquecemos nossas prioridades. O ego nos arrasta e pode nos arruinar.

Compelido por seu senso de honra a cobrir as dívidas da firma, Grant fez um empréstimo dando suas inestimáveis relíquias de guerra como garantia. Com a mente, o espírito e o corpo afetados, ele passou os últimos anos de sua vida lutando

O QUE É IMPORTANTE PARA VOCÊ?

contra um doloroso câncer na garganta e escrevendo às pressas suas memórias para poder deixar algo para a família. Ele quase não conseguiu.

Dá um calafrio pensar nas forças vitais sendo sugadas desse herói, que morreu com apenas 63 anos de idade, derrotado e em agonia. Um homem íntegro e honesto, que simplesmente não conseguiu manter o foco e acabou muito longe dos limites de seu imenso gênio. O que ele poderia ter feito com os anos que perdeu? Como os Estados Unidos teriam sido? Quantas coisas mais ele poderia ter feito e conquistado?

Não que Grant tenha sido o único a passar por isso. Todos nós regularmente dizemos "sim" sem pensar, seja por uma vaga atração, por ganância ou vaidade. Porque não conseguimos dizer "não" — pois, se dissermos, podemos perder alguma coisa. Achamos que pensar no "sim" nos permite conquistar mais, quando, na realidade, isso nos impede exatamente de alcançar o que buscamos. Todos nós desperdiçamos parcelas preciosas da vida fazendo coisas de que não gostamos para provar algo a pessoas que não respeitamos e conseguir coisas que não queremos.

Por que fazemos isso? Bem, a esta altura já deve estar óbvio.

O ego nos leva à inveja, e a inveja corrói os alicerces dos grandes e dos pequenos. O ego sabota a grandeza iludindo quem o possui.

A maioria de nós começa com uma ideia clara do que quer na vida. Sabemos o que é importante para nós. O sucesso que alcançamos, especialmente quando vem cedo ou em abundância, coloca-nos em um lugar incomum. Então, de repente, estamos em um lugar novo e temos dificuldade para controlar nossa postura.

O EGO É SEU INIMIGO

Quanto mais avançamos no caminho da realização, seja ela qual for, é maior a frequência com que nos deparamos com outras pessoas bem-sucedidas, o que abala a crença em nossa capacidade e importância. Não interessa o quão bem você esteja se saindo, o seu ego e as realizações dessas pessoas fazem com que você se sinta um *nada* — assim como essas pessoas, por sua vez, se sentem do mesmo jeito em relação a outras. É um círculo vicioso que se repete *ad infinitum*, ao passo que nosso breve tempo na Terra — essa pequena janela de oportunidade que temos — é finito.

Então, de maneira inconsciente, apertamos o passo para acompanhar os outros. Mas e se pessoas diferentes estão correndo por motivos diferentes? E se houver mais de uma corrida acontecendo?

Foi isso que Sherman quis dizer ao falar de Grant. Há certa ironia no estilo *O presente dos magos* no fato de perseguirmos com tanto afinco coisas que, no final das contas, não serão tão prazerosas. No mínimo, elas não vão durar. Se pudéssemos ao menos parar por um segundo.

Que uma coisa fique clara: a competitividade é uma força importante na vida. É o que move o mercado e o que está por trás de algumas das conquistas mais impressionantes da humanidade. Individualmente, por outro lado, é crucial que você saiba com *quem* está competindo e *por quê*, que tenha um sentido claro do espaço onde se encontra.

Só você sabe em que corrida vai competir. Isto é, a não ser que seu ego decida que a única forma de você ter valor é ser *melhor* do que e ter *mais* do que *qualquer um* de *qualquer lugar*. E é mais urgente ainda ressaltar: cada um de nós tem um potencial e um propósito únicos; isso significa que só nós podemos

O QUE É IMPORTANTE PARA VOCÊ?

avaliar e estabelecer os termos para nossas vidas. São muitas as vezes que olhamos para outras pessoas e fazemos de sua aprovação o padrão que devemos atingir. O resultado é que desperdiçamos justamente nosso potencial e nosso propósito.

De acordo com Sêneca, a palavra grega *euthymia* é um termo em que deveríamos pensar com frequência: é a noção do nosso próprio caminho e o conhecimento sobre como permanecer nele sem sermos distraídos por todos os outros caminhos que o cruzam. Em outras palavras, o importante não é derrotar o outro cara. Não é ter mais do que os outros. É dar o seu melhor para corresponder àquilo que você é, sem sucumbir a todas as coisas que o afastam disso. É ir aonde você quer ir. É conquistar o máximo no que escolheu, dentro de sua capacidade. Exatamente isso. Nem mais, nem menos. (A propósito, *euthymia* significa "tranquilidade".)

Chegou a hora de se sentar e pensar no que é importante de verdade para você, e então adotar medidas para renunciar tudo aquilo que não é. Sem isso, o sucesso não será agradável, ou sequer tão completo quanto poderia ser. Ou, pior, não durará.

Isso se aplica sobretudo ao dinheiro. Se você não sabe de quanto precisa, a resposta padrão facilmente se torna: mais. E assim, sem pensar, uma energia essencial é desviada de sua vocação para encher uma conta bancária. Quando "você combina insegurança e ambição", disse o jornalista plagiador e desacreditado Jonah Lehrer ao refletir sobre a própria queda, "se torna incapaz de dizer não às coisas".

O ego rejeita as escolhas. Por que arriscar? O ego quer *tudo*. É o ego que lhe diz para trair mesmo quando você ama seu cônjuge, porque você quer o que tem *e* o que não tem. O ego diz: claro, e daí que você está só começando a con-

O EGO É SEU INIMIGO

quistar uma coisa, por que não entra de cabeça em outra? No final das contas, você diz sim a coisas demais, a coisas que estão além de seus limites. Somos como o capitão Ahab, caçando Moby Dick por razões já esquecidas.

Talvez sua prioridade seja mesmo o dinheiro. Ou talvez seja a família. Pode ser que seja influência ou mudança. Ou construir uma organização duradoura, ou uma que atenda a um propósito. Essas são ótimas motivações, mas você precisa saber. Precisa ter conhecimento sobre o que não quer e o que suas escolhas impossibilitam, pois as estratégias, na maioria das vezes, são mutuamente excludentes. Não se pode ser um cantor de ópera *e* um ídolo pop dos adolescentes ao mesmo tempo. A vida requer concessões, mas o ego não aceita isso.

Então por que você faz o que faz? Esta é a pergunta que você precisa responder. Olhe para ela até conseguir. Só aí você entenderá o que importa e o que não importa. Só então poderá dizer não, poderá abrir mão de corridas idiotas que não têm importância, ou que sequer existem. Só aí será fácil ignorar as pessoas "bem-sucedidas", porque na maioria dos casos elas não são, pelo menos não em relação a você, e muitas vezes nem mesmo para si próprias. Só nesse momento você poderá desenvolver aquela confiança silenciosa de que Sêneca falou.

Quanto mais tiver a fazer, mais difícil será se manter fiel a seu propósito, e mais crucial será que você se mantenha. Todo mundo compra o mito de que *se pelo menos tivesse aquilo* — geralmente, o que outra pessoa tem — seria feliz. Talvez seja necessário quebrar a cara algumas vezes para perceber o vazio dessa ilusão. Todos nós, ocasionalmente, nos surpreendemos no meio de algum projeto ou obrigação, sem conseguir

O QUE É IMPORTANTE PARA VOCÊ?

entender como chegamos ali. Você precisará de coragem e confiança para parar.

Descubra as razões por trás dos objetivos que você tenta alcançar. Ignore aqueles que criticam o seu ritmo. Deixe que invejem o que você tem, e não o contrário. Pois isso é independência.

ARROGÂNCIA, CONTROLE
E PARANOIA

*Um dos sintomas de um colapso nervoso iminente é a
crença de que o seu trabalho é muito importante.*

— BERTRAND RUSSELL

Quando Xerxes, o imperador persa, atravessou o Estreito
do Helesponto durante a invasão da Grécia, as águas subiram e destruíram as pontes que seus engenheiros haviam
passado dias construindo. Por isso, ele jogou correntes nas águas,
ordenou que elas recebessem trezentas chibatadas e fossem
marcadas com ferro quente. Enquanto seus homens aplicavam
a punição, receberam ordens de gritar: "Maré salgada e cruel,
seu mestre lhe aplica esta punição por tê-lo ferido, ele que
nunca o feriu." Ah, e ele também cortou a cabeça dos homens
que haviam construído as pontes.

Heródoto, o grande historiador, chamou essa demonstração de "presunçosa", o que é um eufemismo. Sem dúvida,
"ridícula" e "desvairada" seriam adjetivos mais apropriados.
No entanto, isso fazia parte da personalidade de Xerxes. Pouco
antes desse episódio, ele escrevera uma carta para uma monta-

O EGO É SEU INIMIGO

nha vizinha onde precisava abrir um canal. "Você pode ser alta e orgulhosa", escreveu ele, "mas não ouse me causar problemas. Do contrário, irei fazê-la tombar no mar."

Quão hilário é isso? E, pior, quão patético?

As ameaças insanas de Xerxes infelizmente não são uma anomalia histórica. Com o sucesso, e em particular com o poder, vêm algumas das maiores e mais perigosas ilusões: arrogância, controle e paranoia.

Com sorte, você não enlouquecerá a ponto de começar a antropomorfizar as coisas e aplicar punições a objetos inanimados. Isso é loucura pura e fácil de identificar, e, felizmente, algo raro. O que é mais comum é começarmos a superestimar nosso próprio poder. Com isso, perdemos a perspectiva. No final das contas, podemos acabar como Xerxes, uma piada monstruosa.

"O veneno mais forte já conhecido", escreveu o poeta William Blake, "veio da Coroa de Louros de César." O sucesso lança um feitiço sobre nós.

O problema está no caminho que nos levou ao sucesso. As conquistas muitas vezes requerem atos de puro poder e força de vontade. Tanto o espírito empreendedor quanto a arte requerem a criação de algo onde antes não havia nada. Adquirir fortuna significa vencer o mercado e os obstáculos. Os campeões esportivos são pessoas que provaram sua superioridade física em relação aos oponentes.

Para alcançar o sucesso, foi necessária ignorar as dúvidas e as reservas das pessoas ao nosso redor. Significa rejeitar a rejeição. Requer correr certos riscos. Poderíamos ter desistido a qualquer momento, mas estamos aqui precisamente porque não desistimos. A persistência e a coragem em face de obstácu-

ARROGÂNCIA, CONTROLE E PARANOIA

los notáveis são traços em parte irracionais — em alguns casos, *realmente* irracionais. Quando dá certo, podemos ter a sensação de que esses traços foram provados.

E por que não deveríamos ter essa sensação? É humano acreditar que, depois de ter provocado uma mudança de grande ou pequena proporção no mundo, somos detentores de algum dom especial. Estamos aqui porque somos maiores, mais fortes, mais inteligentes. Porque *criamos* a realidade que habitamos.

Pouco antes de destruir sua própria companhia bilionária, Ty Warner, criador da marca de bichos de pelúcia Beanie Babies, rejeitou as objeções de um funcionário e se gabou: "Se em vez de colocar o coração da Ty em um bichinho de pelúcia eu o pusesse em estrume, eles comprariam!"* Warner estava errado, e a companhia não apenas teve uma queda catastrófica, como eles por um triz não acabaram presos pouco tempo depois.

Não importa se você é um bilionário, um milionário ou só um garoto que conseguiu um bom emprego cedo. A total e absoluta autoconfiança que o trouxe até aqui pode se tornar um grande risco se você não tiver cuidado. Sabe os anseios e os sonhos que você tinha a respeito de uma vida melhor? E a ambição que alimentou seu esforço? Eles começam como motivações legítimas, mas, se não forem controlados, tornam-se excesso de segurança e arrogância. O mesmo pode ser dito do instinto de assumir o comando; agora, você está viciado no controle. Determinado a provar que os céticos estavam errados? Bem-vindo às sementes da paranoia.

---

*O coração a que se refere o texto é a logomarca da companhia, que aparece em todos os bichinhos de pelúcia fabricados por ela. (N. do T.)

O EGO É SEU INIMIGO

Sim, estamos falando de preocupações e angústias que acompanham naturalmente as responsabilidades de sua nova vida. Tudo o que você está administrando, os erros frustrantes de pessoas que deveriam saber o que estão fazendo, o rastejar infinito das obrigações — ninguém poderia nos preparar para isso, o que dificulta ainda mais lidar com os sentimentos. A terra prometida deveria ter sido um lugar bacana, e não insuportável. Mas você não pode deixar as paredes se fecharem. Precisa manter a si mesmo e às suas impressões sob controle.

Quando Arthur Lee foi mandado para a França e a Inglaterra como um dos diplomatas norte-americanos durante a Guerra de Independência, em vez de aproveitar a oportunidade de trabalhar com o diplomata Silas Deane e o estadista mais velho Benjamin Franklin, ele se deixou levar pela cólera e pelo ressentimento na suspeita de que ambos não gostavam dele. Por fim, Franklin lhe escreveu uma carta (que provavelmente todos nós merecemos receber em algum momento da vida): "Se você não se curar desse temperamento", aconselhou Franklin, "ele acabará em insanidade, da qual é um sintoma." Talvez devido ao controle que tinha sobre o próprio temperamento, Franklin concluiu que escrever a carta seria catártico o suficiente, pois nunca a enviou.

Se você já ouviu as fitas do Salão Oval de Richard Nixon, pôde escutar a mesma doença e deve ter desejado que alguém tivesse enviado a mesma carta a Nixon. Aquele é um vislumbre assustador de um homem que se esqueceu não apenas do que a lei lhe permitia fazer e de qual era seu trabalho (*servir ao povo*), mas também de alguém que perdeu a conexão com a própria realidade. Ele vacila entre a confiança suprema e o

ARROGÂNCIA, CONTROLE E PARANOIA

medo ou até o terror. Interrompe seus subordinados, falando ao mesmo tempo que eles, e rejeita informações e comentários que desafiam aquilo em que ele quer acreditar. Vive dentro de uma bolha onde ninguém pode lhe dizer não, nem mesmo sua consciência.

Há uma carta do general Winfield Scott para Jefferson Davis, na época secretário de guerra dos Estados Unidos. Davis vinha importunando Scott de maneira agressiva e insistente por causa de uma questão trivial. Scott ignorou-o até, por fim, ser forçado a responder, e escreveu que tinha pena de Davis. "Temos o dever de ter compaixão", disse ele, "para com um imbecil furioso que se dedica a golpes que prejudicam apenas a si mesmo."

O ego é seu próprio pior inimigo. Ele também machuca as pessoas que amamos. Nossas famílias e amigos sofrem por causa dele. O mesmo acontece com nossos clientes e fãs. Um crítico de Napoleão não poderia ter sido mais preciso ao afirmar: "Ele despreza a nação cujo aplauso busca." Napoleão não conseguia ver os franceses de outro modo a não ser como peças a serem manipuladas, pessoas em relação às quais precisava ser melhor, pessoas que, se não o apoiassem completa e incondicionalmente, estavam contra ele.

Uma pessoa inteligente deve sempre se lembrar dos limites do próprio poder e alcance.

A arrogância supõe: isto é meu; eu mereço. Ao mesmo tempo, despreza *outras* pessoas, porque não consegue enxergar que o tempo dos outros tem o mesmo valor que o seu. Ela faz sermões e pronunciamentos que exaurem as pessoas que trabalham para nós e conosco, que não têm outra opção além de aguentar. Ela nos faz superestimar nossas capacidades, fornecendo julgamentos generosos para nossas perspectivas, e cria expectativas ridículas.

O controle diz: tudo deve ser feito do *meu* jeito, até as menores coisas, até as coisas mais irrelevantes. Ele pode se transformar em perfeccionismo paralisante ou em milhares de batalhas cujo único intuito é o de exercer sua vontade. Também exaure as pessoas de cuja ajuda precisamos, em particular aquelas mais caladas, que não discordam até que as levemos a seu limite. Discutimos com o atendente no aeroporto, o representante do atendimento ao consumidor no telefone, o agente que examina nossa solicitação. E para quê? Na verdade, não controlamos o clima, não controlamos o mercado, não controlamos outras pessoas, e os esforços e energias que investimos nisso são puro desperdício.

A paranoia pensa: não posso confiar em ninguém; estou completamente sozinho nisso. Diz ainda: estou cercado por idiotas. Não basta que eu me concentre em meu trabalho, em minhas obrigações e em mim mesmo. Também preciso orquestrar até o mínimo detalhe várias maquinações nos bastidores, pegá-los antes que me peguem; corrigi-los pelos menores deslizes que eu perceber.

Todo mundo já teve um chefe, um parceiro ou um pai/mãe assim. Toda aquela briga, a raiva, o caos, o conflito. Qual foi o resultado? Como tudo acabou?

"Aquele que se permite temores vazios ganha temores reais", escreveu Sêneca, que, como conselheiro político, testemunhou a paranoia destrutiva nos mais altos escalões.

O triste loop é que a incansável "busca pelo número um" pode encorajar outras pessoas a nos sabotar e lutar contra nós. Elas veem esse comportamento pelo que realmente é: uma

ARROGÂNCIA, CONTROLE E PARANOIA

máscara para a fraqueza, a insegurança e a instabilidade. No desespero para se proteger, a paranoia cria a perseguição que tenta evitar, tornando seu possuidor um prisioneiro das próprias ilusões e do próprio caos.

Essa é a liberdade que você almejou quando sonhou com o sucesso? Provavelmente não.

Então, pare.

COMO ADMINISTRAR A SI MESMO

Não basta ter grandes qualidades; devemos também administrá-las.

— La Rochefoucauld

Em 1953, Dwight D. Eisenhower terminou seu desfile de posse e à noite entrou na Casa Branca pela primeira vez como presidente. Quando ele entrou na Mansão Oficial, seu chefe de pessoal lhe entregou duas cartas onde se lia "Confidencial e Secreto" e que haviam sido mandadas para ele mais cedo naquele mesmo dia. A reação de Eisenhower foi rápida: "Nunca me traga um envelope fechado", disse com firmeza. "É para isso que tenho funcionários."

Muito esnobe, não é mesmo? O cargo havia mesmo lhe subido de tal forma à cabeça?

De modo algum. Eisenhower reconheceu o que o evento aparentemente sem importância significava de fato: um sintoma de uma instituição desorganizada e disfuncional. Nem tudo precisava passar por ele. Quem poderia dizer que o envelope sequer era importante? Por que ninguém o havia filtrado?

O EGO É SEU INIMIGO

Como presidente, sua prioridade máxima no cargo era organizar o poder executivo de forma a transformá-lo em uma unidade regular, funcional e ordenada, a exemplo de suas antigas unidades militares, não porque não queria trabalhar, mas porque todos tinham uma tarefa que ele lhes confiava e dava poder para cumprir. Como o chefe de pessoal da Casa Branca mais tarde diria: "O presidente faz as coisas mais importantes. Eu faço as *outras* coisas mais importantes."

A imagem pública de Eisenhower é a do homem jogando golfe. Na realidade, ele nunca ficava ocioso, mas o tempo livre que tinha era possível porque comandava um navio muito ordenado. Ele sabia que urgente e importante não eram sinônimos. Seu trabalho era estabelecer prioridades, pensar no quadro geral e confiar o trabalho restante às pessoas que haviam sido contratadas para fazê-lo.

A maioria de nós não é *o* presidente, nem sequer presidente de uma empresa, mas, ao galgarmos os degraus da vida, o sistema e os hábitos profissionais que nos levaram para o lugar em que estamos não vão necessariamente nos manter lá. Quando estamos apenas nas fases iniciais ou ocupamos um nível inferior, podemos ser idiossincráticos, compensar a desorganização com trabalho duro e um pouco de sorte. Isso não vai funcionar nos níveis mais elevados. Na verdade, você vai afundar se não conseguir crescer e se *organizar*.

Podemos fazer um paralelo entre o sistema de Eisenhower na Casa Branca e a infame companhia automobilística criada por John DeLorean quando ele saiu da GM para produzir sua marca de carros futuristas. Algumas décadas depois da implosão espetacular da companhia, podemos ser desculpados por pensar que o homem estava apenas à frente de seu tempo. Na

COMO ADMINISTRAR A SI MESMO

verdade, a história de sua ascensão e queda é atemporal: um narcisista sedento de poder sabota a própria visão e, no processo, perde milhões de dólares de outras pessoas.

DeLorean estava convencido de que a cultura da ordem e da disciplina da GM restringia mentes criativas e brilhantes como a sua. Quando saiu para fundar a própria empresa, ele, deliberadamente, fez tudo de maneira diferente, desprezando a sabedoria convencional e as práticas administrativas tradicionais. O resultado não foi o santuário de liberdade criativa que DeLorean ingenuamente idealizara. Em vez disso, foi uma organização exageradamente burocrática, disfuncional e até corrupta que não suportou o próprio peso e acabou por recorrer à criminalidade e à fraude, sofrendo perdas de cerca de 250 milhões de dólares.

O nome DeLorean foi um fracasso tanto como carro quanto como companhia, pois foi mal administrada do topo até a base — com ênfase na má administração no topo, pelo topo. Isto é: o problema era o próprio DeLorean. Em comparação a Eisenhower, ele trabalhava muito, mas com resultados bastante diferentes.

Como disse um executivo, DeLorean "tinha a capacidade de reconhecer uma boa oportunidade, mas não sabia aproveitá-la". Outro executivo descreveu seu estilo de administração como "ir atrás de balões coloridos" — ele estava sempre distraído e abandonando um projeto por outro. Era um gênio. Mas, infelizmente, isso quase nunca é o bastante.

Embora seja provável que não tenha feito de propósito, DeLorean criou uma cultura na qual o ego era desenfreado. Convencido de que era simplesmente merecedor do sucesso contínuo, ele parecia se irritar com conceitos como disciplina,

O EGO É SEU INIMIGO

organização e planejamento estratégico. Ou os funcionários não recebiam orientações suficientes, ou eram sobrecarregados por instruções triviais. DeLorean não sabia delegar poder, exceto aos lacaios cuja lealdade cega era mais valorizada do que a competência ou o talento. Além de tudo isso, era comum que ele se atrasasse ou se distraísse.

Os executivos tinham permissão para trabalhar em atividades extracurriculares à custa da companhia — aliás, eram especificamente encorajados a se dedicar a projetos paralelos que beneficiassem seu chefe em detrimento da empresa. Como CEO, DeLorean estava sempre distorcendo a verdade para os investidores, para os outros executivos e para os fornecedores, hábito que contaminou toda a companhia.

Como muitos dos que se deixam levar por impulsos, as decisões de DeLorean eram motivadas por tudo, *menos* por aquilo que era eficiente, praticável ou responsável. Em vez de aperfeiçoar ou consertar o sistema da GM, é como se ele tivesse jogado fora até o último resquício de ordem. O que se seguiu foi caótico. Ninguém obedecia a regras, ninguém era responsável por nada, e muito pouco era feito. A companhia só não desmoronou imediatamente porque DeLorean era um mestre nas relações públicas — um talento que lhe permitiu manter a farsa por algum tempo, pelo menos até os primeiros carros defeituosos saírem da linha de montagem.

Não surpreende que os carros fossem *terríveis*. Eles simplesmente não funcionavam.

O custo por unidade estava muito acima do orçamento. Eles não haviam firmado um número suficiente de parcerias com concessionárias e nem conseguiram entregar os carros àquelas com as quais haviam conseguido negociar. O lança-

COMO ADMINISTRAR A SI MESMO

mento foi um desastre. A DeLorean Motor Company nunca se recuperou.

Acontece que se tornar um grande líder é difícil. *Quem poderia saber?*

DeLorean não conseguia administrar nem a si mesmo, então teve dificuldades para administrar os outros. Daí veio o fracasso, o dele mesmo e também de seu sonho.

Administração? Essa é a recompensa para toda a sua criatividade e ideias inovadoras? Tornar-se O cara? Sim — no final das contas, nós todos precisamos exercer a supervisão adulta contra a qual havíamos nos rebelado. Ainda assim, muitas vezes reagimos com petulância e preferimos pensar: *Agora que estou no comando, as coisas vão ser diferentes!*

Pensemos em Eisenhower. Ele era o maldito presidente, o homem mais poderoso do mundo. Poderia ter relaxado e feito as coisas como gostava. Se fosse desorganizado, as pessoas simplesmente teriam de lidar com isso (já houve muitos presidentes assim). No entanto, ele não foi. Compreendia que ordem e responsabilidade eram necessárias para o país naquele momento. E isso mais do que superou suas próprias preocupações.

A parte mais triste da história de DeLorean foi que, como muitas pessoas talentosas, suas ideias eram ótimas. Seu carro era uma inovação empolgante. Seu modelo poderia ter dado certo. Ele tinha todos os recursos, assim como o talento. Foi seu ego e a desorganização resultante que impediram a combinação de todos os ingredientes, assim como acontece com tantos de nós.

À medida que você se torna bem-sucedido em sua área, é provável que suas responsabilidades comecem a mudar. Os dias passam a ser cada vez menos voltados ao *fazer* e são cada vez mais ocupados por decisões. Essa é a natureza da liderança. A transição requer uma reavaliação e uma atualização de sua identidade. Requer certa humildade para que se deixe de lado algumas das partes mais divertidas ou satisfatórias de seu trabalho anterior. Isso significa aceitar que outras pessoas podem ser mais qualificadas ou especializadas nas áreas em que você se considerava competente — ou, pelo menos, que o tempo delas será mais bem empregado nessas áreas do que o seu.

Sim, seria muito mais divertido estar constantemente envolvido em cada minúcia, além do que nos sentiríamos importantes sendo a pessoa chamada para apagar todos os incêndios. As coisas pequenas são infinitamente atraentes e muitas vezes lisonjeiras, ao passo que pode ser muito difícil discernir o quadro geral. Nem sempre é divertido, mas é o seu trabalho. Se você não pensar no quadro geral — porque está ocupado demais brincando de ser o "chefão" — quem pensará?

É claro que não existe um sistema "certo". Às vezes, os sistemas descentralizados funcionam melhor. Às vezes, uma hierarquia rígida é mais adequada. Cada projeto ou objetivo merece uma abordagem perfeitamente sob medida para o que precisa ser feito. Pode ser que um ambiente criativo e tranquilo faça mais sentido para o que você está fazendo. Talvez você possa administrar seu negócio remotamente, ou talvez seja melhor para todos trabalhar cara a cara.

O importante é que você aprenda a administrar a si mesmo e aos outros antes que sua área de atuação o coma vivo. Os microgerentes são egoístas que não conseguem administrar os outros e que não demoram a ficar sobrecarregados. O mesmo acontece aos visionários carismáticos que perdem o interesse quando chega a hora de executar. Ainda piores são aqueles

COMO ADMINISTRAR A SI MESMO

que se cercam de bajuladores, que só sabem dizer sim ou limpar toda a sua bagunça, e que criam uma bolha dentro da qual não conseguem ver o quanto estão desconectados da realidade.

A responsabilidade requer um reajuste e *mais* clareza e propósito. Primeiro, estabelecer os objetivos e prioridades do nível mais elevado da organização e de sua vida. Em seguida, aplicá-los e segui-los. Produzir resultados, e só resultados.

Dizem que é a cabeça do peixe que fede. Bem, agora a cabeça é você.

CUIDADO COM A DOENÇA DO EU

Se eu não for por mim, quem será? Se eu for apenas por mim, quem serei?

— HILLEL

Tivemos grandes generais entre os Aliados da Segunda Guerra Mundial — Patton, Bradley, Montgomery, Eisenhower, MacArthur, Zhukov. E houve George Catlett Marshall Jr. Embora todos tenham servido seus países e lutado e liderado com bravura, um se destaca.

Hoje, vemos a Segunda Guerra Mundial como uma luta muito clara, em que o bem se uniu de maneira altruísta contra o mal. O problema é que a vitória e a passagem do tempo nublaram o lado obscuro e demasiado humano das pessoas que estavam do lado certo daquela guerra. Isto é: nós nos esquecemos da política, das traições, do desejo de ser o centro das atenções, da postura, da ganância e da fuga das responsabilidades entre os Aliados. Enquanto os outros generais protegiam seu terreno, brigavam uns com os outros e aspiravam ambiciosamente a um lugar na história, havia um homem quase imune a esse comportamento: o general George Marshall.

O EGO É SEU INIMIGO

E o mais impressionante é que o general Marshall, em silêncio, superou a todos com a magnitude de suas conquistas. Qual era seu segredo?

Pat Riley, o famoso técnico e empresário que liderou o Los Angeles Lakers e o Miami Heat em inúmeros campeonatos, diz que grandes times tendem a seguir uma trajetória. Um time, quando começa — antes de ter vencido —, é inocente. Se tiver as condições apropriadas, o grupo se une, um cuidando do outro, e eles trabalham juntos por um objetivo coletivo. Ele chama essa etapa de "Escalada inocente".

Depois que um time começa a obter vitórias e a ganhar atenção da mídia, os vínculos simples que uniam os indivíduos vão se desfazendo. Os jogadores calculam a própria importância. Seu peito infla. Surgem frustrações. Os egos emergem. A "Escalada inocente", de acordo com Pat Riley, é quase sempre sucedida pela "Doença do eu". Ela pode "acometer qualquer time vencedor em qualquer ano e a qualquer momento", e isso acontece com uma regularidade alarmante.

Foi o que aconteceu entre Shaquille O'Neal e Kobe Bryant, que se tornaram incapazes de jogar juntos. Ou quando Michael Jordan socou Steve Kerr, Horace Grant e Will Perdue — membros de seu próprio time. Ele socava pessoas do próprio time! Quando os funcionários da Enron deixaram a Califórnia na escuridão em busca de lucros pessoais. É o que acontece quando um funcionário insatisfeito vaza informações para a mídia com o intuito de sabotar um projeto que o desagrada. É fazer comentários negativos para diminuir a autoestima de alguém e assim chamar sua atenção, ou qualquer outra tática de intimidação.

Em nosso caso, é começar a pensar que somos melhores, especiais, que nossos problemas e experiências são tão exclusi-

CUIDADO COM A DOENÇA DO EU

vos que ninguém seria capaz de entendê-los. É uma atitude que já afundou muitas pessoas melhores do que nós, assim como times e causas melhores do que os nossos.

No caso do general Marshall, que passou a ocupar o cargo de chefe do Estado Maior do Exército norte-americano no dia em que a Alemanha invadiu a Polônia em 1939 e serviu durante toda a guerra, vemos uma das poucas exceções da história a essa tendência. Marshall de algum modo nunca pegou a "Doença do eu" e muitas vezes apontou-a nos outros, fazendo com que se envergonhassem e mudassem de atitude.

Tudo começa no relacionamento equilibrado com a patente, uma obsessão para a maioria dos militares.

Ele não era um homem que se abstinha de *todo* tipo de demonstração pública de posição ou status. Por exemplo, insistia que o presidente o chamasse de general Marshall, e não George. (Ele tinha esse direito, certo?) Mas, enquanto outros generais costumavam usar sua influência para conseguir promoções (o general MacArthur avançou por meio de várias posições ao longo dos anos da guerra em grande parte graças à agressividade de *sua mãe*), Marshall desencorajava ativamente a prática. Quando os outros começaram a exercer pressão para que Marshall se tornasse o chefe do Estado Maior, ele pediu que parassem, porque "[isso] me deixa em evidência dentro do Exército. Aliás, em evidência demais." Mais tarde, desencorajou os esforços da Casa Branca para aprovar uma proposta com o intuito de lhe conferir a patente de marechal de campo, não apenas porque achava que ser chamado de Field Marshal*

---

*"Field Marshal" é a denominação em inglês para a patente de general de campo. (N. do T.)

O EGO É SEU INIMIGO

Marshall soaria ridículo, mas também porque não queria magoar ou ficar em uma patente acima de seu mentor, o general Pershing, que se aproximava da morte e era uma fonte constante de conselhos e orientação.

Você consegue imaginar isso? Em todos esses casos, seu senso de honra levou Marshall a dispensar honras, não raro deixando que elas fossem conferidas a outras pessoas. Como qualquer ser humano normal, ele as desejava, só que do modo certo. Mas, acima de tudo, Marshall sabia que, por melhor que tivesse sido recebê-las, ele podia muito bem ficar sem elas, e isso é algo que muitos não conseguem afirmar com convicção. O ego precisa de honras para ser validado. A confiança, por outro lado, consegue esperar e se concentrar na tarefa que se cumpre naquele momento, independentemente de reconhecimento externo.

Talvez consigamos fazer esse tipo de sacrifício mais facilmente no início da carreira. Podemos abandonar uma universidade de prestígio para fundar a própria empresa. Ou podemos tolerar o desprezo de vez em quando. Quando "conseguimos", a tendência é passarmos para a atitude de "receber o que me é de direito". De repente, prêmios e reconhecimento ganham uma nova importância, apesar de não terem sido nossa motivação para chegar até ali. Nós *precisamos* daquele dinheiro, daquele título, da atenção da mídia, mas não para o time, ou para a causa, e sim para nós mesmos. Porque nós *conquistamos o direito* a isso.

Vamos esclarecer uma coisa: nós nunca conquistamos o direito à ganância ou de correr atrás de nossos interesses à custa dos interesses alheios. Pensar de outra maneira não é apenas egoísta, como contraproducente.

CUIDADO COM A DOENÇA DO EU

Marshall foi testado nesse aspecto até seu limite. A posição pela qual havia passado a vida lutando agora estava ao seu alcance: o comando das tropas no Dia D, essencialmente a maior invasão coordenada que o mundo já vira. Roosevelt deixou claro que o comando seria de Marshall, bastava ele querer. O lugar de um general na história é conquistado por seus feitos em batalha. Portanto, apesar de Marshall ser necessário em Washington, Roosevelt queria lhe dar a oportunidade de assumir o comando. Marshall não aceitaria. "A decisão é sua, senhor presidente; meus desejos não têm nenhuma relação com a questão." A tarefa e a glória foram para Eisenhower.

No final das contas, Eisenhower foi o melhor homem para o trabalho. Ele apresentou um desempenho soberbo e ajudou a vencer a guerra. Que outra coisa valeria tanto quanto isso?

Ainda assim, é isso que nós regularmente nos recusamos a fazer; nosso ego elimina qualquer chance de servirmos à missão maior da qual fazemos parte.

O que devemos fazer? Deixar outra pessoa levar a melhor?

Certa vez, a escritora Cheryl Strayed aconselhou a um jovem leitor: "Você está se transformando em seu futuro, então poderá muito bem ser um babaca." Essa é uma das mais perigosas ironias do sucesso: ele pode fazer de nós alguém que nunca quisemos ser. A "Doença do eu" pode corromper a escalada mais inocente.

Havia um general que destratava Marshall, banindo-o para postos obscuros quando ele estava no meio da carreira. Mais tarde, Marshall se viu em uma posição superior à do homem e teve a chance de se vingar. Só que ele não caiu nessa. Pois, quaisquer que fossem as falhas do colega, Marshall via que ele ainda era útil e que o país ficaria pior sem ele. E qual foi o agradecimento por essa silenciosa supressão do ego? Só mais um trabalho bem-feito e nada mais.

A palavra que descreve essa atitude é uma que quase não usamos mais: magnanimidade. É claro que também foi uma boa estratégia, mas a principal motivação para que Marshall fosse generoso, indulgente e magnânimo era porque era a coisa certa a se fazer. De acordo com observadores tão importantes quanto o presidente Truman, o que separava Marshall de quase todas as outras pessoas nas forças militares e na política é que "o general Marshall nunca pensava em si mesmo".

Há outra história de Marshall sobre uma das muitas vezes em que ele precisou posar para os retratos oficiais que lhe eram solicitados. Depois de comparecer várias vezes e honrar pacientemente os pedidos, Marshall enfim foi informado pelo pintor de que o retrato estava pronto e ele estava liberado. O general se levantou e se encaminhou para a saída. "O senhor não quer ver a pintura?", perguntou o artista. "Não, obrigado", respondeu Marshall de maneira respeitosa e partiu.

Isso quer dizer que administrar sua imagem não é importante? É claro que é. No início de sua carreira, você irá se surpreender agarrando qualquer oportunidade para tal. À medida que for se tornando mais bem-sucedido, perceberá que isso não passa de uma distração de seu trabalho — o tempo que passa com repórteres, em premiações e com o marketing significa menos tempo fazendo o que é mais importante para você.

Quem tem tempo de olhar para a própria foto? Qual é a finalidade disso?

Como sua esposa mais tarde observaria, as pessoas que viam George Marshall apenas como um homem modesto e

CUIDADO COM A DOENÇA DO EU

calado não percebiam o que de fato era especial nele. Marshall tinha as mesmas características que todos nós — ego, interesses pessoais, orgulho, dignidade, ambição. Mas elas eram "equilibradas por um senso de humildade e abnegação".

O fato de querer ser lembrado, de querer chegar ao topo ou garantir o melhor para si e para sua família não faz de você uma pessoa ruim. Afinal de contas, isso faz parte do que nos atrai.

Existe um equilíbrio. O técnico de futebol Tony Adams expressa isso muito bem. "Jogue pelo nome na frente da camisa", diz ele, "e as pessoas irão se lembrar do nome que está nas costas".

Se pensarmos na trajetória de Marshall, a velha ideia de que abnegação e integridade poderiam ser fraquezas ou impedir o crescimento individual se torna ridícula e cai por terra. É claro que alguns podem ter dificuldades para lembrar muita coisa a respeito dele, mas todos habitam um mundo que, em grande medida, foi moldado por Marshall.

Quanto ao crédito, quem se importa?

MEDITE SOBRE A IMENSIDÃO

*Um monge é um homem que está separado de todos
e em harmonia com todos.*

— Evagrius Ponticus

Em 1879, o preservacionista e explorador John Muir fez
sua primeira viagem ao Alasca. Enquanto explorava os
fiordes e as paisagens rochosas da hoje famosa Baía dos Glacia-
res, foi tomado por uma súbita e forte sensação. Sempre fora
apaixonado pela natureza e, ali, no clima único do verão do
extremo norte, era como se o mundo inteiro estivesse em sin-
cronia. Como se ele pudesse ver o ecossistema e o ciclo da vida
por inteiro diante de seus olhos. Seu pulso começou a acelerar
e ele e o grupo se sentiram "aquecidos e em harmonia com
tudo, levados de volta ao coração da natureza", de onde todos
nós viemos. Por sorte, Muir observou e registrou em seu diário
a bela coesão do mundo ao seu redor, descrição que poucos
chegaram perto de igualar desde então.

Sentimos a vida, os movimentos ao nosso redor e a beleza
universal: as marés avançando e retrocedendo com uma

engenhosidade incansável, lavando as belas margens e varrendo o dulce púrpura do vasto mar onde os peixes se alimentam, os fluxos naturais de água em fileiras brancas com cascatas, sempre se renovando e cantando, espalhando seus afluentes por mil montanhas; as enormes florestas se alimentando dos raios encharcados de sol, cada célula em um torvelinho de alegria; flocos indistintos de insetos se agitando pelo ar, as cabras e os bodes selvagens nos cumes verdejantes acima das florestas, ursos em meio a frutos silvestres, visons, castores e lontras bem mais além, espalhados por muitos rios e lagos; índios e aventureiros seguindo seus caminhos solitários; pássaros cuidando dos filhotes — por absolutamente todos os lados, beleza e vida, e ação alegre e exultante.

Naquele momento, ele experimentou o que os estoicos chamavam de *sympatheia*, a conexão com o cosmo. O filósofo francês Pierre Hadot já se referiu a isso como o "sentimento oceânico". Trata-se da sensação que se tem de pertencer a algo maior, de perceber que "coisas humanas são um ponto infinitesimal na imensidão". É nesses momentos que nós não apenas nos libertamos, mas somos atraídos por questões importantes: *Quem eu sou? O que estou fazendo? Qual é o meu papel neste mundo?*

Nada nos afasta mais dessas perguntas do que o sucesso material — quando estamos sempre ocupados, estressados, irritados, distraídos, requisitados, responsabilizados, afastados. Quando somos ricos e nos dizem que somos importantes ou poderosos. O ego nos diz que o sentido está na atividade, que ser o centro das atenções é o único modo de ser importante.

MEDITE SOBRE A IMENSIDÃO

Quando não estamos conectados a algo maior ou mais importante do que nós, é como se um pedaço de nosso espírito estivesse faltando. Como se tivéssemos nos desligado das tradições das quais nos originamos, sejam quais forem (uma profissão, um esporte, uma irmandade, uma família). O ego impede que enxerguemos a beleza e a história no mundo. Ele bloqueia nossa visão.

Não é de se surpreender que achemos o sucesso vazio, que acabemos exaustos, que tenhamos a sensação de estar correndo em uma esteira, que percamos o contato com a energia que outrora nos motivou.

Proponho um exercício: vá até um campo de batalha antigo ou um local historicamente importante. Dê uma olhada nas estátuas. Será impossível não ver como as pessoas são parecidas, quão pouco mudou desde então — desde antes ainda, e como será assim para sempre. Ali, certa vez, esteve um grande homem. Ali morreu uma mulher corajosa. Ali um homem cruel viveu em sua mansão palaciana... É a sensação de que vieram outros antes de você — aliás, gerações.

Nesses momentos, podemos ter uma ideia da imensidão do mundo. O ego é impossível, pois percebemos, por mais fugaz que seja essa revelação, o que Emerson quis dizer com "Cada homem é uma citação de todos os seus ancestrais". Eles são parte de nós e nós somos parte de uma tradição. Abrace a força dessa posição e aprenda com ela. É uma sensação animadora perceber isso, parecida com a que John Muir sentiu no Alasca. Sim, somos pequenos. Também somos um pedaço desse grande universo e um processo.

O astrofísico Neil deGrasse Tyson descreveu bem a dualidade em questão — a de que é possível se deleitar ao mesmo tempo com sua relevância e sua irrelevância no cosmo. Como ele diz: "Quando olho para o universo, sei que sou pequeno, mas também sou grande. Sou grande porque estou conectado com o universo e o universo está conectado comigo." Não podemos simplesmente esquecer o que é maior e o que já está aqui há mais tempo.

Por que você acha que os grandes líderes e pensadores ao longo da história "saíram para a imensidão" e voltaram inspirados, com um plano, com uma experiência que os coloca em um curso que acaba por mudar o mundo? Foi porque, ao fazê-lo, eles encontraram perspectiva, entenderam o quadro geral de um modo que não era possível na agitação da vida diária. Silenciando o barulho ao seu redor, eles enfim puderam ouvir a voz sussurrante que precisavam escutar.

A criatividade é uma questão de receptividade e reconhecimento. Isso não pode acontecer quando você está convencido de que o mundo gira ao seu redor.

Ao removermos o ego mesmo que temporariamente, o descanso e relaxamento que nos sobrevêm permite que, com novos olhos, enxerguemos o que antes estava oculto. Ao ampliarmos nossa perspectiva, mais coisas entram em nosso campo de visão.

É triste perceber quão desconectada do passado e do futuro a maioria de nós está. Nós esquecemos que mamutes peludos caminharam sobre a Terra enquanto as pirâmides eram construídas. Não nos damos conta de que Cleópatra viveu mais perto de nosso tempo do que da construção das famosas pirâmides que marcaram seu reinado. Quando operários britânicos escavaram a Trafalgar Square para a construção da Coluna de Nelson e seus famosos leões, encontraram ossos de leões *de verdade*, que vagavam naquele mesmo local alguns milhares

MEDITE SOBRE A IMENSIDÃO

de anos antes. Alguém, recentemente, calculou que bastaria apenas uma corrente de seis indivíduos trocando apertos de mãos ao longo dos séculos para conectar Barack Obama a George Washington. No YouTube, há um vídeo em que um homem participa em um episódio de 1956 de um game show da CBS chamado "I've Got a Secret" [Eu Tenho um Segredo], que por acaso também contou com a participação de uma famosa atriz chamada Lucille Ball. Qual era o segredo dele? Ele estava no Ford's Theatre quando Lincoln foi assassinado. Foi só há pouco tempo que o governo da Inglaterra pagou dívidas contraídas em 1720 com eventos como a bolha da Companhia dos Mares do Sul, as Guerras Napoleônicas, a abolição da escravatura pelo Império e a Grande Fome da Irlanda — o que significa que no século XXI ainda havia uma conexão direta e diária com os séculos XVIII e XIX.

À medida que nosso poder e nossos talentos crescem, gostamos de pensar que isso nos torna especiais, que vivemos em uma época abençoada e sem precedentes. Essa impressão é ampliada pelo fato de que muitas das fotos que vemos, inclusive as de apenas cinquenta anos atrás, ainda são em preto e branco, e presumimos, então, que o *mundo* era preto e branco. É óbvio que não era — seu céu era da mesma cor que o nosso (em alguns lugares, era até mais claro) —, as pessoas sangravam do mesmo jeito que nós e ficavam com o rosto vermelho da mesma maneira que acontece conosco. Somos iguaizinhos a eles, e sempre seremos.

"É difícil ser humilde quando se é tão incrível quanto eu", disse certa vez Muhammad Ali. Ok, tudo bem. É por isso que os grandes homens e mulheres precisam se esforçar ainda mais para vencer essa tendência. É difícil ser egocêntrico e conven-

O EGO É SEU INIMIGO

cido da própria grandeza na solidão e no silêncio de um tanque de privação sensorial. É difícil sentir qualquer coisa além de humildade durante uma caminhada na praia tarde da noite, com um oceano negro infinito chocando-se ruidosamente contra a terra ali pertinho de você.

Precisamos buscar ativamente essa harmonia cósmica. Existe um famoso poema de Blake que abre com os versos: "Para ver o Mundo num Grão de Areia / E o Céu numa Flor Silvestre / Segura o Infinito na palma da sua mão / E a Eternidade em uma hora". É isso que buscamos aqui. Essa é a experiência transcendental que torna nosso ego mesquinho algo impossível.

Sinta-se desprotegido contra os elementos ou forças em seu ambiente. Lembre-se de quão inútil é se enfurecer, lutar e tentar dar demonstrações de superioridade àqueles que o cercam. Saia e entre em contato com o infinito, pondo um fim à sua separação consciente em relação ao mundo. Reconcilie-se um pouco com as realidades da vida. Perceba quantas coisas o precederam, e como só restaram migalhas delas.

Deixe-se levar por essa sensação o quanto puder. Então, quando começar a se sentir melhor ou maior do que qualquer coisa, repita a experiência.

MANTENHA A SOBRIEDADE

O nível do aperfeiçoamento se mede pela simplicidade.

— BRUCE LEE

Angela Merkel é a antítese de quase todas as suposições que fazemos sobre um líder de Estado, sobretudo um líder de Estado alemão. Ela é simples. É modesta. Não dá muita importância à apresentação, nem à ostentação. Não faz discursos inflamados. Não está interessada em expansão ou domínio. E, principalmente, é calada e reservada.

A chanceler Angela Merkel é *sóbria*, enquanto muitos líderes estão inebriados — com o ego, o poder, a posição. Essa sobriedade foi precisamente o que fez dela uma líder bastante popular que já cumpre o terceiro mandato e, ainda, uma força poderosa e arrebatadora a favor da liberdade e da paz na Europa moderna.

Há uma história sobre Merkel que se passa durante uma aula de natação quando ela ainda era uma garotinha. Ela caminhou até o fim do trampolim e ficou ali, pensando se deveria pular ou não. Minutos se passaram. Mais minutos. Por fim, quando o sino que marcava o fim da aula soou, ela saltou. Es-

O EGO É SEU INIMIGO

tava com medo ou apenas sendo prudente? Muitos anos mais tarde, Merkel lembraria aos líderes da Europa durante uma grande crise que "O medo é um mau conselheiro". A garotinha naquele trampolim queria usar cada segundo a que tinha direito para tomar a decisão *certa*, e não uma decisão motivada por imprudência ou medo.

Na maioria das vezes, acreditamos que as pessoas se tornam bem-sucedidas graças apenas à sua energia e entusiasmo. Quase sempre desculpamos seu ego, pois achamos que faz parte da personalidade necessária para se "fazer algo grande". Talvez tenha sido um pouco dessa capacidade de se impor que fez você chegar aonde está. Mas responda a uma pergunta: ela será sustentável nas próximas várias décadas? Você realmente poderá trabalhar mais e superar todo mundo *para sempre*?

A resposta é não. O ego nos diz que somos invencíveis, que temos uma força ilimitada que jamais irá se dissipar. Mas isso não pode ser o que a grandeza requer, uma energia sem-fim?

Merkel é a personificação da fábula de Esopo a respeito da tartaruga. Ela age de maneira lenta e firme. Naquela noite histórica em que o Muro de Berlim caiu, tinha apenas 25 anos. Tomou uma cerveja, foi dormir e de manhã cedo tomou um banho e saiu para o trabalho. Anos mais tarde, havia trabalhado o bastante para se tornar uma física respeitada, porém obscura. Foi só então que entrou para a política. Depois dos 50 anos, tornou-se chanceler. Foi um caminho laborioso e persistente.

No entanto, o resto de nós quer chegar ao topo o mais rápido possível. Não temos paciência para esperar. Estamos inebriados pela possibilidade de galgar os degraus do sucesso. Quando conseguimos, a tendência é pensar que apenas o ego e a energia poderão nos manter lá. Isso não é verdade.

MANTENHA A SOBRIEDADE

Quando o presidente russo Vladimir Putin certa vez tentou intimidar Merkel deixando seu imenso cão de caça invadir uma reunião (sabe-se que ela não gosta muito de cachorros), Merkel sequer piscou e mais tarde fez uma piada sobre o incidente. Como resultado, foi ele quem fez papel de tolo e inseguro. Durante sua ascensão e, acima de tudo, durante seu tempo no poder, ela tem mantido o equilíbrio e a clareza de forma consistente, mesmo diante dos fatores imediatos de estresse e estímulo.

Em uma posição semelhante, poderíamos ter nos lançado a uma ação "ousada"; poderíamos ter ficado furiosos ou estabelecido um limite ilusório. Precisamos lutar por nós mesmos, certo? Mas será que precisamos de fato? Com frequência, isso é só o ego aumentando a tensão em vez de nos ajudar a lidar com ela. Merkel é firme, clara e paciente. Ela está disposta a fazer qualquer concessão, exceto no que diz respeito ao princípio em questão — que muitas pessoas perdem de vista.

Estamos falando da sobriedade. Isso é exercer o autocontrole.

Merkel não se tornou a mulher mais poderosa do mundo ocidental à toa. Mais do que isso, ela manteve a posição por três mandatos com a mesma fórmula.

O grande filósofo Marco Aurélio sabia muito bem disso. Chamado à política quase contra sua vontade, ele serviu ao povo romano em cargos cada vez mais importantes desde a adolescência até sua morte. Havia sempre problemas urgentes — solicitações a serem ouvidas, guerras para lutar, leis a serem aprovadas, favores para conceder. Ele lutava para escapar do que chamava de "imperialização" — a mancha do poder absoluto que destruiu imperadores anteriores. Para conseguir fazer isso, escreveu *para si mesmo* que deveria "lutar para ser a pessoa que a filosofia tentou fazer de você".

É por isso que o filósofo zen Zuigan teria mantido esse diálogo diário consigo mesmo:

"MESTRE..."
"SIM, SENHOR?"

Então ele dizia:

"SEJA SÓBRIO."
"SIM, SENHOR."

E concluía dizendo:

"NÃO SE DEIXE ENGANAR PELOS OUTROS."
"SIM, SENHOR, SIM, SENHOR."

Hoje, talvez devêssemos acrescentar:

"NÃO SE DEIXE ENGANAR PELO RECONHECIMENTO QUE VOCÊ RECEBEU OU PELO SALDO DE SUA CONTA BANCÁRIA."

Precisamos lutar para permanecermos sóbrios, apesar das diferentes forças que giram em torno de nosso ego.

O historiador Shelby Foote afirmou que: "o poder não corrompe tanto; isso é simples demais. Ele fragmenta, elimina opções, hipnotiza." É isso que o ego faz. Ele turva a mente no exato momento em que ela precisa estar clara. A sobriedade é um contrapeso, uma cura para a ressaca — ou, melhor, um método de prevenção.

MANTENHA A SOBRIEDADE

Outros políticos são ousados e carismáticos. Mas Merkel supostamente disse: "Você não pode resolver (...) tarefas com carisma." Ela é racional. Ela analisa. Concentra-se na situação, e não em si mesma, como fazem muitos dos que chegam ao poder. Sua educação na área científica sem dúvida foi útil nesse aspecto. Os políticos costumam ser vaidosos, obcecados pela própria imagem. Merkel é objetiva demais para isso. Ela se preocupa com resultados, e nada muito além disso. Um escritor alemão observou, em uma homenagem pelo seu 50º aniversário, que a *despretensão* é a principal arma de Merkel.

Ao escrever sobre Bill Belichick, o técnico dos Patriots, David Halberstam, observou que o homem "não apenas mordia, mas tinha desprezo por quem ladrava". Poderíamos dizer o mesmo sobre Merkel. Líderes como Belichick e Merkel sabem que são as mordidas que ganham o jogo e fazem as nações avançarem. Latidos, por outro lado, dificultam que sejam tomadas as decisões *certas*, tais como interagir com os outros, como promover, quais estratégias colocar em prática, quais opiniões ouvir, quando se opor a alguma coisa.

A Europa de Churchill precisava de um tipo de líder. O mundo interconectado da atualidade requer outro, pois existe tanta informação a ser processada, tanta competição, tantas mudanças que, sem uma mente clara, tudo estaria perdido.

É certo que não estamos falando de abstinência de álcool ou de drogas, mas, sem dúvida, existe um elemento de restrição na sobriedade sem ego — uma eliminação do desnecessário e do destrutivo. Chega de obsessão pela imagem, de tratar as pessoas abaixo ou acima de você com desprezo; de precisar de armadilhas de primeira classe e do tratamento de estrela; de bradar, brigar, envaidecer-se, fingir uma personalidade diferente

O EGO É SEU INIMIGO

da sua, agir como se fosse mais importante do que os outros, de condescendência e de se maravilhar com a própria magnificência ou com a importância autoconferida.

A sobriedade é o contrapeso que deve equilibrar nosso sucesso, sobretudo quando o sucesso fica cada vez maior.

Como disse James Basford: "Só uma forte constituição é capaz de suportar repetidos golpes de prosperidade." Bem, é aqui que nos encontramos agora.

Um antigo ditado diz que se quiser viver feliz, viva escondido. É verdade. O problema é que isso priva o restante de nós de ótimos exemplos. Temos a sorte de ter alguém feito Merkel como pessoa pública, pois ela representa uma imensa maioria silenciosa.

Por mais difícil que seja acreditar nisso considerando o que vemos na mídia, existem algumas pessoas muito bem-sucedidas que moram em lugares modestos. Como Merkel, elas têm vidas pessoais normais com seus companheiros (o marido dela não compareceu à primeira posse). Não usam de artifícios, vestem roupas comuns. A maioria das pessoas bem-sucedidas são pessoas de quem nunca ouvimos falar. Elas preferem que seja assim.

Isso as mantêm sóbrias. Ajuda a fazerem seu trabalho.

PARA O QUE COSTUMA VIR A SEGUIR, O EGO É SEU INIMIGO

Eis a evidência, e você é o veredito.

— ANNE LAMOTT

E aqui está você: no topo. O que descobriu? Apenas quão duro e complicado é conduzir a situação. Você achava que ficaria mais fácil quando chegasse; só que, em vez disso, é ainda mais difícil — uma fera completamente diferente. O que você constatou é que precisa administrar a si mesmo se quiser preservar o sucesso.

O filósofo Aristóteles estava familiarizado com os mundos do ego, do poder e do império. Seu pupilo mais famoso foi Alexandre, o Grande, e foi em parte graças aos ensinamentos de Aristóteles que o jovem conquistou o mundo conhecido de então. Alexandre era corajoso e brilhante e, em muitas ocasiões, generoso e sábio. No entanto, está claro que ignorou a lição mais importante de Aristóteles — um dos motivos que o levaram a morrer aos 32 anos, longe de casa e, provavelmente, pelas mãos de seus próprios homens, que enfim haviam dito "chega".

O EGO É SEU INIMIGO

Não que fosse errado ter grandes ambições. Alexandre simplesmente nunca compreendeu a "doutrina do meio-termo" de seu mestre. Aristóteles fala repetidas vezes de virtude e excelência como pontos em um espectro. A coragem, por exemplo, fica entre a covardia a um extremo e a imprudência no outro. A generosidade, que todos nós admiramos, deve ficar exatamente no meio, entre a extravagância e a parcimônia, a fim de ser útil. Onde fica o limite — o meio-termo — pode ser algo difícil de determinar, mas se não o descobrirmos, corremos o risco de incorrer em extremos perigosos. É por isso que é tão difícil alcançar a excelência, como escreveu Aristóteles. "Em qualquer caso, é muito difícil encontrar o ponto intermediário; por exemplo, só aquele com o conhecimento é capaz de encontrar o centro em um círculo."

Podemos usar a doutrina do meio-termo para navegar através do ego e do desejo com destino à realização.

É fácil ter uma ambição incansável; qualquer um pode pisar fundo no acelerador. A complacência também é fácil; é uma questão de *tirar* o pé do acelerador. Precisamos evitar o que o especialista em gestão de negócios Jim Collins chama de "busca indisciplinada por mais", bem como a complacência que vem com os aplausos. Tomando emprestadas as ideias de Aristóteles, o que é difícil é aplicar a quantidade certa de pressão, na hora certa, da forma certa, pelo período certo de tempo, no carro certo e indo na direção correta.

Se não fizermos isso, as consequências podem ser desastrosas.

Napoleão — que, como Alexandre, teve uma morte infame — dizia: "Homens de grande ambição procuraram a felicidade... e encontraram a fama." O que ele queria dizer é que por trás de todo objetivo está a vontade de ser feliz e realizado.

PARA O QUE COSTUMA VIR A SEGUIR, O EGO É SEU INIMIGO

Mas, quando o egocentrismo assume o controle, nós nos esquecemos de nosso objetivo e acabamos em algum lugar onde nunca havíamos pretendido estar. Em seu famoso ensaio sobre Napoleão, Emerson se esforça para apontar que, poucos anos depois de sua morte, a Europa estava exatamente igual a quando Napoleão iniciou sua ascensão meteórica. Todas aquelas mortes, tanto esforço, ganância e honras, para quê? Basicamente, para nada. Napoleão, como Emerson escreveu, desapareceu tão rápido quanto a fumaça de sua artilharia.

Howard Hughes — apesar de sua atual reputação, que o retrata como um tipo de rebelde ousado — não era um homem feliz, não importa quão fantástica sua vida possa parecer a partir da história ou dos filmes. Quando se aproximou da morte, um de seus assistentes tentou reconfortá-lo em seu sofrimento, dizendo: "Que vida incrível o senhor teve." Hughes balançou a cabeça e repetiu com a honestidade triste e empática de alguém cuja hora claramente chegou: "Se você tivesse trocado de lugar comigo na vida, aposto que exigiria destrocar antes mesmo da primeira semana."

Não precisamos seguir esses passos. Sabemos quais decisões devemos tomar para evitar esse fim ignominioso e até mesmo patético: proteger nossa sobriedade, evitar a ganância e a paranoia, manter-se humilde, conservar nosso senso de propósito, conectarmo-nos com o mundo ao nosso redor.

Pois, mesmo que consigamos administrar bem a nós mesmos, a prosperidade não traz garantias. O mundo conspira de muitas maneiras contra nós, e as leis da natureza dizem que tudo regressa à média. Nos esportes, a tabela fica mais difícil depois de uma temporada vitoriosa, os times ruins têm opções melhores de convocação e os tetos salariais tornam difícil manter o time unido. Na vida, os impostos aumentam à medida que você ganha mais dinheiro e que a sociedade lhe impõe mais responsabilidades. A mídia é mais dura com aqueles que já cobriu anteriormente. Rumores e fofocas são o custo da fama: ele é um bêbado, ela é gay, ele é hipócrita, ela é uma vaca. A multidão torce pelos vira-latas, e torce *contra* os vencedores.

São simples fatos da vida. Quem pode se dar ao luxo de ainda acrescentar uma negação a tudo isso?

Em vez de deixarmos o poder nos tornar delirantes e de presumirmos que o que temos está garantido, é melhor investir nosso tempo nos preparando para as reviravoltas do destino que, inevitavelmente, ocorrem na vida. Isto é, adversidades, dificuldades, fracassos.

Quem sabe? Talvez estejamos diante de uma crise iminente. Ou pior: talvez ela tenha sido causada por você mesmo. Só porque você fez alguma coisa uma vez, não significa que poderá continuar fazendo-a com sucesso para sempre.

Reveses e retrocessos fazem parte do ciclo da vida como qualquer outra coisa.

Mas também podemos lidar com eles.

PARTE III

FRACASSO

Aqui estamos nós, vivenciando as agonias inerentes a qualquer jornada. Talvez tenhamos fracassado, talvez tenha sido mais difícil do que havíamos previsto alcançar nosso objetivo. Ninguém é permanentemente bem-sucedido e nem todos encontram o sucesso na primeira tentativa. Nós todos lidamos com reveses ao longo do caminho. O ego não apenas impede que nos preparemos para essas circunstâncias, como muitas vezes contribui para sua ocorrência. A saída, o caminho para retomar o progresso, requer uma reorientação e mais autoconhecimento. Não precisamos de piedade — nem de nós mesmos nem de mais ninguém. Precisamos de propósito, equilíbrio e paciência.

SEJAM QUAIS FOREM
OS FRACASSOS OU OS
DESAFIOS QUE VOCÊ
VENHA A ENFRENTAR,
O EGO É SEU INIMIGO.

É porque a humanidade está mais disposta a se iden-
tificar com nossa alegria do que com nossa tristeza
que desfilamos nossas riquezas e escondemos a nossa
pobreza. Nada é tão mortificante quanto sermos obri-
gados a expor nossos sofrimentos diante do olhar
público e sentir que, apesar de a nossa situação estar
exposta aos olhos de toda a humanidade, nenhum
mortal é capaz de conceber metade do que sofremos.

— ADAM SMITH

Na primeira metade de sua vida, praticamente tudo esteve a favor de Katharine Graham.

Seu pai, Eugene Meyer, era um gênio das finanças que fez fortuna no mercado de ações. A mãe era uma socialite linda e brilhante. Na infância, Katharine teve o melhor de tudo: as melhores escolas, os melhores professores, casas grandes e empregados para lhe servir.

Em 1933, seu pai comprou o *Washington Post*, na época um jornal em dificuldades, mas importante, que ele começou a recuperar. Tendo sido a única filha a expressar qualquer interesse sério pelo empreendimento, Katharine herdou o jornal e confiou sua administração ao igualmente brilhante marido, Philip Graham.

O EGO É SEU INIMIGO

Ela não foi outra Howard Hughes, que dissipou a fortuna da família. Não foi mais uma herdeira de família rica que seguiu o caminho fácil porque podia. Mas, sem dúvida, tinha uma vida confortável. Katharine se sentia, nas próprias palavras, contente por viver à sombra do marido (e do pai).

Então, a vida sofreu uma reviravolta. O comportamento de Phil Graham foi se tornando errático. Ele bebia muito. Tomou decisões administrativas imprudentes e comprou coisas que eles não podiam pagar. Começou a ter casos amorosos. Humilhou a esposa na frente de quase todo mundo que eles conheciam. Problemas de gente rica, certo? A verdade é que Phil havia sofrido um grave colapso nervoso e, enquanto Katharine cuidava do marido e se esforçava para que ele se recuperasse, um dia, quando ela cochilava no cômodo ao lado, ele se matou com um rifle de caça.

Em 1963, aos 46 anos, com três filhos e sem qualquer experiência profissional, Katharine Graham precisou assumir o comando da Washington Post Company, uma imensa corporação com milhares de funcionários. Ela era despreparada, tímida e ingênua.

Apesar de trágicos, esses eventos não foram exatamente um fracasso cataclísmico. Graham continuava a ser rica, branca e privilegiada. Ainda assim, aquilo não era o que pensara que a vida havia planejado para ela. Aí está a questão. O fracasso e a adversidade são relativos e únicos para cada um de nós. Quase sem exceção, é isto que a vida faz: pega nossos planos e os rasga em mil pedacinhos. Em alguns casos, só uma vez. Em outros, várias.

Como afirmou o filósofo financeiro e economista George Goodman, é como se "estivéssemos em um baile maravilhoso em que o champanhe borbulha em todas as taças e gargalhadas suaves preenchem o ar de verão. Sabemos que em algum momento o cavaleiro negro virá e derrubará as portas da varanda, executando sua vingança e dispersando os sobreviventes. Aqueles que saírem mais cedo estarão salvos, mas o baile é tão esplêndido que ninguém quer sair enquanto ainda há tempo. Então, todos ficam perguntando 'que horas são?'. Mas nenhum relógio tem ponteiros."

Ele falava de crises econômicas, embora pudesse muito bem estar falando da posição em que todos nós nos encontramos não só uma vez na vida, mas frequentemente. As coisas vão bem. Talvez aspiremos a um objetivo grandioso. Talvez estejamos, enfim, saboreando os frutos de nosso trabalho. A qualquer momento, o destino pode intervir.

Se o sucesso é a intoxicação do ego, o fracasso pode ser um golpe devastador para ele, transformando deslizes em quedas e pequenos problemas em grandes desmoronamentos. Se o ego costuma ser apenas um efeito colateral desagradável do grande sucesso, no fracasso ele pode ser fatal.

Temos muitos nomes para esses problemas: sabotagem, injustiça, adversidade, provações, tragédia. Não importa qual seja o rótulo, é um sofrimento. Não gostamos da experiência, e alguns afundam com ela. Outros parecem ter sido feitos para aguentá-la. Seja como for, é um teste que cada um deve suportar.

Esse destino foi escrito para nós do mesmo modo que foi escrito cinco mil anos atrás para o jovem rei da *Epopeia de Gilgamesh*:

Ele enfrentará uma batalha que não conhece,
ele percorrerá uma estrada que não conhece.

O EGO É SEU INIMIGO

Foi com isso que Katharine Graham se deparou. No final das contas, assumir o comando do jornal foi o primeiro de uma série de eventos desafiadores e difíceis que durariam quase duas décadas.

Falando sobre George Washington, Thomas Paine escreveu que existe uma "firmeza natural em algumas mentes que não pode ser acessada por coisas pequenas, mas que, quando acessada, revela um armário repleto de coragem". Graham parece ter tido um armário desses.

Enquanto se acostumava à posição de liderança, Graham descobriu na diretoria conservadora do jornal um obstáculo constante. Eles eram condescendentes e avessos a riscos e vinham sendo um entrave para o progresso da companhia. Se quisesse ser bem-sucedida, ela teria de encontrar a própria bússola, e não se submeter às dos outros, como sempre havia feito. Aos poucos, foi ficando claro que precisava de um novo editor executivo. Indo contra os conselhos da diretoria, substituiu o velho e querido editor por um jovem talento desconhecido. Simples assim.

O mesmo não poderia ser dito da reviravolta seguinte. No momento em que a companhia dava entrada no processo para se tornar uma empresa de capital aberto, o *Post* recebeu um calhamaço de documentos roubados do Governo e os editores perguntaram a Graham se poderiam publicá-los, apesar de haver uma ordem judicial proibindo que isso fosse feito. Graham consultou os advogados e a diretoria da companhia. Todos a aconselharam a não publicar, temendo que isso pudesse afundar a oferta pública inicial ou amarrar a empresa a processos legais por anos. Dividida, ela decidiu pela publicação — uma decisão sem precedentes. Pouco depois, a investigação que o

FRACASSO

Post fez de uma invasão à sede do Comitê Nacional do Partido Democrata — com base em uma fonte anônima — ameaçou colocar a companhia em um permanente conflito com a Casa Branca e a poderosa elite de Washington (bem como comprometer as licenças governamentais necessárias para as estações de TV de propriedade do *Post*). Em determinado momento, o defensor de Nixon e *procurador geral dos Estados Unidos*, John Mitchell, ameaçou Graham, dizendo que ela havia passado tanto dos limites que suas "tetas" acabariam "presas em um grande espremedor". Outro assistente gabou-se, afirmando que a Casa Branca agora estava pensando em como arruinar o jornal. Coloque-se no lugar dela: a organização mais poderosa do mundo estava explicitamente se perguntando "Como podemos prejudicar o *Post* o máximo possível?"

Como se isso não bastasse, o preço das ações do *Post* não era nada satisfatório. O mercado não ia bem. Em 1974, um investidor começou a comprar agressivamente ações da empresa. A diretoria ficou aterrorizada. Isso poderia significar uma oferta pública de aquisição hostil das ações. Graham foi despachada para lidar com ele. No ano seguinte, o sindicato das gráficas responsáveis pela impressão dos jornais iniciou uma longa e perniciosa greve. Em determinado momento, os membros do sindicato usaram camisas que diziam "Phil atirou no Graham errado". Apesar dessas táticas (ou talvez por causa delas), Katharine decidiu enfrentar a greve. Eles não deixaram barato. Certa madrugada, mais precisamente às 4 horas, ela recebeu um telefonema inquietante: o sindicato havia sabotado o maquinário da companhia, espancado um funcionário inocente e em seguida incendiado as prensas. Geralmente, durante greves de gráficas, a concorrência ajuda os outros

O EGO É SEU INIMIGO

jornais a imprimirem suas publicações, mas os concorrentes de Graham se recusaram a ajudá-la, o que custou ao *Post* 300 mil dólares.

Em seguida, um grupo de investidores importantes começou a vender suas posições acionárias na Washington Post Company, tendo ostensivamente perdido a confiança nas perspectivas da companhia. Pressionada pelo investidor engajado que já havia conhecido, Graham concluiu que sua melhor opção seria gastar uma imensa quantia de dinheiro da companhia para comprar de volta suas próprias ações nos mercados públicos — uma jogada perigosa que quase ninguém fazia na época.

Se já é exaustivo ler essa lista de problemas, imagine vivê--los. No entanto, graças à perseverança de Graham, os resultados foram melhores do que qualquer pessoa poderia ter previsto.

Os documentos vazados publicados por Katharine Graham ficaram conhecidos como Papéis do Pentágono e se tornaram um dos acontecimentos mais importantes da história do jornalismo. A cobertura do caso Watergate feita pelo *Post* que tanto enfureceu a Casa Branca de Nixon mudou a história norte--americana e derrubou uma administração inteira. Também rendeu ao jornal um Prêmio Pulitzer. O investidor que os outros tanto temiam no final das contas era um jovem Warren Buffet, que se tornou mentor de Graham nos negócios, bem como um grande defensor e administrador da companhia. (Seus pequenos investimentos na empresa da família de Graham um dia valeriam centenas de milhões.) Katharine Graham prevaleceu nas negociações com o sindicato e a greve acabou. Seu principal concorrente em Washington, que havia se recusado a ajudá-la, o *Star*, fechou as portas do dia para a noite e foi

FRACASSO

adquirido pelo *Post*. As ações que ela comprou de volta — indo não só contra a prudência do mundo dos negócios, mas também contra o julgamento do mercado — renderam *bilhões* de dólares à companhia.

No final das contas, todas as dificuldades que ela suportou, os erros que cometeu, a série de fracassos, as crises e os ataques levaram a um lugar. Se você tivesse investido um dólar na oferta pública inicial do *Post* em 1971, o investimento valeria 89 dólares quando Graham deixou a empresa em 1993 — comparado aos 14 dólares da sua indústria e aos 5 dólares do S&P 500. Isso faz dela não apenas uma das CEOs mais bem-sucedidas de sua geração e a primeira a ter administrado uma companhia da Fortune 500, como também uma das melhores CEOs de todos os tempos, e ponto-final.

Para alguém nascido em berço de ouro, a primeira década e meia foi o que poderíamos chamar de batismo de fogo. Graham enfrentou dificuldade após dificuldade — dificuldades estas que não estava preparada para enfrentar, ou pelo menos era o que parecia. Houve momentos em que ela provavelmente pensou em apenas vender a companhia e aproveitar sua imensa fortuna.

Graham não causou o suicídio do marido, mas precisou seguir em frente sem ele. Ela não pediu por Watergate ou pelos Papéis do Pentágono, mas coube a ela atravessar sua natureza incendiária. Enquanto outros mergulhavam em surtos de compras e fusões nos anos 1980, Katharine não seguiu a tendência. Em vez disso, concentrou-se em si mesma e na própria empresa, apesar de Wall Street vê-la como uma companhia frágil. Ela teve a chance de optar pelo caminho fácil diversas vezes, mas não foi isso que fez.

O EGO É SEU INIMIGO

A qualquer momento, podemos enfrentar um fracasso ou revés. Bill Walsh diz: "Quase sempre, sua estrada para a vitória passa por um lugar chamado 'fracasso'." Se quisermos saborear o sucesso outra vez, precisamos entender o que nos levou a esse momento (ou a esses anos) de dificuldade, o que deu errado e por quê. Precisamos lidar com a situação a fim de superá-la. Precisamos aceitá-la e atravessá-la.

Graham ficou sozinha no meio de tudo isso. Ela estava tateando para encontrar o caminho na escuridão, tentando entender uma situação difícil que nunca esperara viver. Graham é um exemplo de como você pode fazer quase tudo certo e nem assim conseguir sair do atoleiro.

Pensamos que o fracasso só atinge egomaníacos que imploraram por ele. Nixon mereceu fracassar; mas e Graham? A realidade é que, embora na maioria das vezes as pessoas sejam responsáveis pelo próprio fracasso, pessoas boas também fracassam (ou são levadas ao fracasso por outras) o tempo todo. Pessoas que já passaram por muitas dificuldades simplesmente se deparam com ainda mais dificuldades. A vida não é justa.

O ego adora a ideia de que algo é "justo" ou não. Os psicólogos usam o termo "ofensa narcisista" para descrever situações em que levamos eventos completamente indiferentes e objetivos para o lado pessoal. Fazemos isso quando nossa noção de individualidade é frágil e depende da expectativa de que a vida transcorra de acordo com nossa vontade o tempo todo. Não importa se o que você está enfrentando seja ou não sua culpa, ou um problema só seu, porque, de um modo ou de outro, cabe a você lidar com isso. O ego de Graham não a levou ao fracasso, mas se ela tivesse agido de acordo com ele, sem dúvida, nunca teria tido sucesso. Pode-se dizer que o fracasso sempre chega sem ser convidado, mas o ego faz com que muitos de nós permitam que ele permaneça por mais tempo.

Do que Graham precisou ao longo de tudo isso? Não foi de arrogância. Nem de orgulho. Ela precisou ser forte. Precisou de autoconfiança e disposição para suportar tudo. Noção de certo e errado. *Propósito.* O que importava não era *ela*, mas preservar o legado da família. Proteger o jornal. Fazer seu trabalho.

E quanto a você? Seu ego vai traí-lo quando as coisas ficarem difíceis? Ou você pode agir sem ele?

Quando enfrentamos dificuldades, acima de tudo as públicas (pessoas céticas, escândalos, perdas), nosso amigo ego mostra sua verdadeira face.

Absorvendo o *feedback* negativo, o ego diz: eu sabia que você não conseguiria. *Por que sequer tentou?* Ele afirma: não vale a pena. Isto não é justo. Isto é problema de outra pessoa. *Por que você não inventou uma boa desculpa e lavou as mãos?* Ele nos diz que não deveríamos aguentar o problema. Diz que não somos nós o problema.

Isto é, ele acrescenta o autoflagelo a cada sofrimento que experimentamos. Parafraseando Epicuro, os inclinados ao narcisismo vivem em uma "cidade sem muros". Uma frágil noção de individualidade está constantemente sob ameaça. As ilusões e realizações não são defesas — não quando você tem uma antena sensitiva especial treinada para receber (e criar) os sinais que desafiam seu precário show de equilibrismo.

É uma maneira miserável de viver.

Um ano antes de Walsh assumir o comando dos 49ers, eles tiveram duas vitórias e catorze derrotas. Em seu primeiro ano como técnico principal e gerente geral, seu saldo foi de... duas vitórias e catorze derrotas. Você pode imaginar a decepção que ele sentiu? Todas as mudanças, todo o trabalho feito naquele primeiro ano, para acabar exatamente na mesma posição que o técnico incompetente que o precedeu? É assim que a maioria de nós pensaria. E, em seguida, provavelmente começaríamos a culpar outras pessoas.

Walsh percebeu que "precisava procurar em outros lugares provas" de que estava acontecendo alguma transformação. Para ele, essa prova estava em como os jogos vinham sendo jogados, nas boas decisões e nas mudanças que estavam ocorrendo dentro da organização. Duas temporadas depois, eles venceram o Super Bowl, o que acabaria se repetindo várias vezes. Quando estavam no fundo do poço, essas vitórias devem ter parecido muito improváveis, e é por isso que você precisa ser capaz de ver além.

Como Goethe certa vez afirmou, o grande fracasso é "se ver como mais do que se é e se dar um valor menor do que se tem". Uma boa metáfora pode ser o tipo de recompra de ações que Katharine Graham fez no final dos anos 1970 e início dos anos 1980. A recompra de ações é controversa — geralmente quem a faz são companhias que se encontram estagnadas ou cujo crescimento está desacelerando. Com uma recompra, um CEO declara: o mercado está errado. Está fazendo uma avaliação tão incorreta de nossa companhia, e está tão claro que não faz ideia do caminho que estamos trilhando, que vamos gastar o precioso dinheiro da empresa apostando que estão errados.

Com frequência, CEOs desonestos ou egoístas compram de volta ações da própria companhia por estarem delirando. Ou ainda porque querem provocar uma elevação artificial do

FRACASSO

preço das ações. Por outro lado, um CEO inseguro ou fraco sequer consideraria apostar em si mesmo. No caso de Graham, ela fez um julgamento de valor; com a ajuda de Buffett, pôde enxergar de maneira objetiva que o mercado não estava apreciando o verdadeiro valor dos ativos de sua companhia. Ela sabia que os golpes desferidos contra sua reputação e a curva de aprendizado haviam contribuído para a redução do preço das ações, o que, apesar de ter provocado a diminuição de sua fortuna pessoal, criou uma oportunidade incrível para a companhia. Em um curto período de tempo, ela compraria quase 40% das ações da empresa a uma fração de seu futuro valor. Cada ação que Katharine Graham comprou por aproximadamente 20 dólares valeria mais de 300 dólares menos de uma década depois.

O que tanto Graham quanto Walsh estavam fazendo era aderir a um conjunto de métricas internas que lhes permitiram aferir e avaliar seu progresso enquanto todo mundo lá fora estava distraído por supostos sinais de fracasso ou fraqueza.

É isso que nos guia através da dificuldade.

Talvez você não consiga entrar na universidade que era sua primeira opção. Talvez não seja escolhido para o projeto, ou não receba aquela promoção. Alguém pode se sair melhor no processo de seleção para o emprego que você queria, ou dar uma oferta maior pela casa dos seus sonhos, ou ainda ficar com a oportunidade da qual você acha que tudo depende. Isso pode acontecer amanhã, pode acontecer daqui a 25 anos. Pode durar dois minutos ou dez anos. Todo mundo experimenta o fracasso e a adversidade, estamos todos sujeitos às regras das circunstâncias e dos danos. O que isso significa? Significa que precisamos enfrentá-las também.

Como Plutarco expressou tão bem: "O futuro vem para cada um de nós com todos os riscos do desconhecido." A única forma de escaparmos é atravessando-o.

Pessoas humildes e fortes não têm as mesmas dificuldades que os egoístas ao enfrentar esses problemas. Elas não reclamam tanto, e se castigam menos ainda. Em vez disso, o que observamos é uma resiliência estoica, e até mesmo alegre. Não é preciso sentir pena. A identidade dessas pessoas não está ameaçada. Elas conseguem viver sem validações constantes.

É a isto que aspiramos — muito mais do que mero sucesso. O que importa é que possamos reagir ao que quer que a vida atire em nossa direção.

E como superamos isso.

TEMPO PRODUTIVO OU TEMPO IMPRODUTIVO?

Vivre sans temps mort. (Viva sem desperdiçar tempo)

— SLOGAN POLÍTICO PARISIENSE

Malcolm X foi um criminoso. Na época, ele ainda não era Malcolm X — era chamado de Detroit Red e ele era um oportunista criminoso que fazia um pouco de tudo. Recolhia dinheiro para apostas. Vendia drogas. Trabalhava como cafetão. Depois, passou para o assalto à mão armada. Tinha sua própria gangue de arrombadores, que comandava com um misto de intimidação e ousadia, explorando o fato de que não parecia ter medo de matar ou morrer.

Então, finalmente, foi preso tentando vender um relógio caro que havia roubado. No momento da prisão, ele estava armado, embora, sejamos justos, Malcolm não tenha tentado reagir contra os policiais que o emboscaram. Em seu apartamento, eles encontraram joias, peles, um arsenal de armas e todas as ferramentas que usava para os arrombamentos.

Sua sentença foi de até dez anos de prisão. Era fevereiro de 1946. Malcolm não tinha nem 21 anos.

O EGO É SEU INIMIGO

Mesmo levando em conta o vergonhoso racismo americano e quaisquer injustiças legais e sistemáticas que existiam na época, Malcolm X era culpado. Ele mereceu ir para a prisão. Quem sabe quem mais ele teria machucado ou matado se continuasse na vida do crime?

Quando suas ações resultam em uma sentença de prisão, depois de um julgamento e uma condenação corretos, é porque alguma coisa deu errado. Você errou não apenas consigo mesmo, mas também segundo os padrões básicos da sociedade e da moralidade. Esse era o caso de Malcolm.

Então, lá estava ele na prisão. Um número. Um corpo com quase uma década de prisão pela frente.

Ele enfrentou o que Robert Greene — um homem que sessenta anos depois teria seus livros extremamente populares banidos em muitas prisões federais — chama de cenário "Tempo vivo ou tempo morto". Como, no final das contas, seriam aqueles anos de encarceramento? O que Malcolm faria com esse tempo?

De acordo com Greene, existem dois tipos de tempo em nossa vida: o tempo improdutivo, tempo morto, quando as pessoas ficam em um estado passivo à espera de algo, e o tempo produtivo, o tempo vivo, quando estão aprendendo, agindo e usando cada segundo. Cada momento de fracasso, cada instante ou situação em que não escolhemos deliberadamente ou controlamos, apresenta essa escolha: teremos um tempo produtivo ou um tempo improdutivo.

Qual deles vai ser?

Malcolm escolheu o *tempo produtivo*. Ele começou a aprender. Explorou a religião. Desenvolveu o hábito da leitura pegando um lápis e o dicionário na biblioteca da prisão, que não apenas leu do início ao fim, como também copiou da

TEMPO PRODUTIVO OU TEMPO IMPRODUTIVO?

primeira à última linha em letra cursiva. Todas aquelas palavras que ele nem sabia que existiam foram transferidas para seu cérebro.

Como diria mais tarde: "Dali até o dia em que saí da prisão, em todo momento livre que eu tinha, se não estivesse lendo na biblioteca, eu estava lendo em meu beliche." Ele estudou história, sociologia, religião, leu os clássicos, filósofos como Kant e Spinoza. Posteriormente, um repórter perguntou a Malcolm: "Qual universidade você frequentou?" Ele deu apenas uma palavra como resposta: "Livros." A prisão foi sua faculdade. Ele transcendeu o confinamento através das páginas que absorvia. Disse que se passavam meses sem que sequer se lembrasse que estava detido à revelia. Ele "nunca havia sido tão verdadeiramente livre na vida".

A maioria das pessoas sabe o que Malcolm X fez depois de sair da prisão, mas não percebem ou entendem como a prisão possibilitou isso. De que maneira um misto de aceitação, humildade e força promoveu a transformação. Tampouco estão cientes de quanto isso é comum na história, de quantos personagens encararam situações aparentemente terríveis — uma sentença de prisão, uma crise econômica, o serviço militar obrigatório ou até mesmo o campo de concentração — e por meio de sua atitude e abordagem essas pessoas transformaram as circunstâncias no combustível para uma grandeza única.

Francis Scott Key escreveu o poema que se tornou o hino nacional dos Estados Unidos quando estava preso em um navio durante uma troca de prisioneiros na Guerra de 1812. Viktor Frankl aperfeiçoou seu entendimento da psicologia do sentido e do sofrimento durante seu martírio em *três* campos de concentração nazistas.

O EGO É SEU INIMIGO

Não é que essas oportunidades só surjam em situações graves. O autor Ian Fleming estava acamado e proibido de usar a máquina de escrever por ordens médicas. Eles temiam que ele se esforçasse demais escrevendo outro romance sobre Bond. Então, em vez disso, Fleming escreveu *O calhambeque mágico* à mão. Walt Disney também estava acamado, recuperando-se depois de ter pisado em um prego enferrujado, quando decidiu se tornar cartunista.

Sim, teria sido mais fácil no momento se ficassem furiosos, aflitos, deprimidos ou desanimados. Quando a injustiça ou os caprichos do destino acometem alguém, a reação mais comum é gritar, reagir, resistir. Você conhece a sensação: *Eu não quero isto. Eu quero* ____. *Quero que seja do meu jeito.* Isto está errado.

Pense no que você tem adiado. Questões com as quais você preferiu não lidar. Problemas sistemáticos que parecem difíceis demais de resolver. O tempo improdutivo torna-se produtivo quando o usamos como uma oportunidade de fazer o que precisamos fazer já há um bom tempo.

Como dizem, este momento não é a sua vida. Mas é um momento *na* sua vida. Como você vai usá-lo?

Malcolm poderia ter insistido no comportamento que o levou à prisão. Não são apenas a preguiça ou a complacência que tornam o tempo improdutivo. Ele poderia ter passado aqueles anos se aperfeiçoando como criminoso, obtendo mais contatos ou planejando o crime seguinte, e ainda assim esse teria sido um tempo improdutivo. Ele poderia ter se sentido *vivo* fazendo isso, mesmo que estivesse se matando lentamente.

"Muitos pensadores sérios foram produzidos nas prisões", como Robert Greene disse, "onde não há nada para fazer além

TEMPO PRODUTIVO OU TEMPO IMPRODUTIVO?

de pensar". Contudo, infelizmente, as prisões — tanto em sua forma literal quanto figurativa — produziram um número maior de degenerados, perdedores e parasitas. Os detentos podem não ter tido nada para fazer além de pensar; porém, aquilo que escolheram pensar fez deles pessoas piores, não melhores.

Isso é o que muitos de nós fazemos quando fracassamos ou nos metemos em encrenca. Sem a habilidade de realizarmos um autoexame, reinvestimos nossa energia exatamente nos mesmos padrões de comportamento que deram início aos nossos problemas.

Acontece de muitas formas: sonhar com o futuro sem efetivamente fazer algo, tramar vinganças, encontrar refúgio na distração, recusar-se a considerar que nossas escolhas são um reflexo de nosso caráter. Nós preferiríamos fazer basicamente qualquer outra coisa.

Mas e se disséssemos: "Isto é uma oportunidade para mim."? Se disséssemos: "Vou usá-la para meus propósitos, e não vou deixar que este seja um tempo improdutivo."?

O tempo improdutivo existia quando éramos controlados pelo ego. Agora, nós podemos viver.

Eu não sei o que você está fazendo neste momento. Espero que não esteja na prisão, mesmo que se sinta dessa forma. Talvez você esteja sentado em uma sala de aula em uma escola especial, talvez sua vida esteja parada por algum motivo, talvez esteja separado, ou trabalhando em uma loja de sucos enquanto junta dinheiro, ou estagnado enquanto aguarda um contato ou a convocação para uma viagem a trabalho. Talvez seja completamente responsável por essa situação, ou talvez tenha sido só má sorte.

Na vida, todos nós passamos por períodos improdutivos. Não podemos controlar isso. Já o uso que faremos deles, sim.

Como disse Booker T. Washington: "Encha seu balde sem sair de onde você está." Ou seja, faça bom uso do que tem a seu dispor. Não deixe que sua teimosia piore ainda mais a situação.

O ESFORÇO É SUFICIENTE

*O que importa para um homem ativo é fazer a coisa
certa; se a coisa certa acontece ou não, isso é algo que
não deve incomodá-lo.*

— GOETHE

Mesmo que poucos tenham ouvido falar dele, Belisário
foi um dos maiores generais militares de todos os tempos. Seu nome foi tão obscurecido e esquecido pela história
que ele faz o subvalorizado General Marshall parecer famoso. Pelo menos, o Plano Marshall foi batizado em homenagem a George.

Mas Belisário, o mais alto comandante de Roma abaixo do
imperador bizantino Justiniano, salvou a civilização ocidental
pelo menos em três ocasiões. Quando Roma caiu e o trono do
império foi transferido para Constantinopla, Belisário foi o
único farol em um período de trevas para o Cristianismo.

Ele obteve vitórias brilhantes em Dara, Cartago, Nápoles, na
Sicília e em Constantinopla. Com apenas um punhado de
guardas contra uma multidão de dezenas de milhares, Belisário
salvou o trono quando uma revolta adquiriu tal proporção de

violência que o imperador chegou a fazer planos para abdicar. Ele recuperou territórios remotos que já estavam perdidos fazia anos apesar de ter poucos homens e recursos. Recuperou e defendeu Roma pela primeira vez desde que os bárbaros a haviam tomado e saqueado. Tudo isso antes de completar quarenta anos.

E qual foi o agradecimento que recebeu? Ninguém lhe deu triunfos públicos. Em vez disso, foi alvo constante da suspeita do imperador paranoico a quem serviu, Justiniano. Suas vitórias e sacrifícios foram desperdiçados com tratados estúpidos e má-fé. Seu historiador pessoal, Procópio, foi corrompido por Justiniano para manchar a imagem e o legado de Belisário. Mais tarde, ele foi dispensado do comando. O único título que lhe restou era deliberadamente humilhante: Comandante do estábulo real. Ah, e ao final dessa ilustre carreira, Belisário teve sua fortuna confiscada e, de acordo com a lenda, foi *cegado* e forçado a pedir esmolas pelas ruas para sobreviver.

Historiadores, estudiosos e artistas passaram séculos lamentando e discutindo o tratamento que Belisário recebeu. Como todos que têm senso de justiça, eles se sentem ultrajados pela estupidez, pela ingratidão e pela injustiça a que foi submetido esse homem grandioso e incomum.

Sabe quem foi a única pessoa que nunca reclamou disso? Nem uma única vez até o fim de sua vida, nem mesmo em cartas pessoais? O próprio Belisário.

O que é irônico é que ele poderia ter tomado o trono em inúmeras ocasiões, embora pareça que nunca sequer tenha tentado. Enquanto o Imperador Justiniano se tornava uma presa fácil de todos os vícios do poder absoluto — controle, paranoia, egoísmo, ganância —, é difícil enxergar um único traço deles em Belisário.

O ESFORÇO É SUFICIENTE

Aos seus olhos, ele estava apenas fazendo seu trabalho, que acreditava ser um dever sagrado. Ele sabia que era bom no que fazia. Sabia que havia feito o que era certo. Isso era suficiente.

Na vida, haverá momentos em que faremos tudo certo, e talvez até com perfeição. Ainda assim, os resultados, por algum motivo, serão negativos: fracasso, desrespeito, inveja ou até um retumbante bocejo do mundo.

Dependendo de qual seja nossa motivação, essas reações podem ser excruciantes. Se o ego assumir o controle, não aceitaremos nada além da apreciação total.

Essa é uma atitude perigosa, pois quando alguém trabalha em um projeto, seja um livro, um negócio ou qualquer outra coisa, em determinado ponto o projeto deixará suas mãos e passará para o domínio do mundo. Ele será julgado, recebido e manipulado *por outras pessoas*. Assim, deixará de estar sob nosso controle e não dependerá de nós.

Belisário podia vencer batalhas, podia liderar homens, podia determinar sua ética pessoal. Mas não podia controlar se seu trabalho seria apreciado ou se geraria suspeitas. Ele não tinha a habilidade para controlar se um ditador poderoso iria tratá-lo bem.

Essa realidade se aplica a todos. O que havia de especial em Belisário era que ele aceitava a barganha. Fazer a coisa certa era o bastante. Tudo o que importava era servir a seu país, a seu Deus e cumprir seu dever com dedicação. Qualquer adversidade podia ser suportada, e possíveis compensações eram consideradas bônus.

Isso era bom, porque ele não apenas costumava não ser recompensado pelo bem que fazia, como era *punido* por isso. À primeira vista, parece algo aflitivo. A reação que teríamos se isso acontecesse conosco ou com alguém que conhecemos seria de indignação. Qual era a alternativa que ele tinha? Deveria ter optado por fazer a coisa errada?

Todos nós enfrentamos o mesmo desafio quando buscamos nossas metas: devemos nos esforçar por algo que pode ser tirado de nós? Devemos investir tempo e energia mesmo que o resultado não seja garantido? Com os motivos certos, estaremos dispostos a seguir em frente. Com o ego, não.

Temos um controle mínimo sobre as recompensas por nosso trabalho e esforço — aprovação dos outros, reconhecimento, retribuições. Então, o que devemos fazer? Não ser gentil, não trabalhar duro, não produzir, já que há a possibilidade de não recebermos nada em troca? Sério mesmo?

Pense em todos os ativistas que descobrem que só podem ir até determinado ponto na luta por uma causa. Nos líderes que são assassinados antes de terminarem seu trabalho. Nos inventores cujas ideias ficam mofando, consideradas algo "à frente de seu tempo". De acordo com a principal métrica da sociedade, essas pessoas não foram recompensadas por seu esforço. *Será que elas não deveriam ter feito o que fizeram?*

Agindo pelo ego, cada um de nós já considerou agir exatamente assim.

Se essa é sua atitude, como você pretende suportar períodos difíceis? E se você estiver à frente de seu tempo? E se o mercado favorecer alguma tendência enganosa? E se seu chefe ou seus clientes não entenderem?

É muito melhor quando fazer um bom trabalho é suficiente. Em outras palavras, quanto menos nos preocuparmos com os *resultados*, melhor. Quando atender aos *nossos próprios* padrões é o que nos enche de orgulho e respeito próprio. Quando o esforço basta, não importando se os resultados são bons ou ruins.

Com o ego, isso não chega nem perto de ser o suficiente. Não, precisamos ser reconhecidos. Precisamos ser recompensados. É especialmente problemático é o fato de que, na maioria das vezes, nós somos. Somos elogiados, somos pagos e começamos a presumir que as duas coisas andam de mãos dadas. A "ressaca da expectativa" se torna inevitável.

A história registrou um encontro incomum entre Alexandre, o Grande, e o famoso filósofo cínico Diógenes. Alexandre teria se aproximado de Diógenes, que estava deitado, desfrutando a brisa de verão, e se colocado de pé a seu lado. Então, o homem mais poderoso do mundo perguntou o que poderia fazer por aquele outro notoriamente pobre. Diógenes poderia ter pedido qualquer coisa. No entanto, sua solicitação foi épica: "Saia da frente do meu sol." Mesmo dois mil anos depois, conseguimos imaginar em que ponto do plexo solar isso deve ter atingido Alexandre, um homem que sempre quis provar sua importância. Como observaria mais tarde o autor Robert Louis Stevenson a respeito desse encontro: "É doloroso ter trabalhado tanto e escalado montes árduos e, ao final de tudo, descobrir que a humanidade é indiferente a suas realizações."

Bem, prepare-se. Isso vai acontecer. Talvez seus pais nunca se impressionem. Pode ser que sua namorada não dê a mínima. Talvez o investidor não enxergue os números. É possível que a plateia não aplauda. Mas precisamos prosseguir. Não podemos deixar *isso* ser nossa motivação.

Belisário teve uma última chance. Ele foi inocentado das acusações e suas honras lhe foram restauradas — bem a tempo de, já um homem velho e de cabelos brancos, salvar o império.

Acontece que a vida não é um conto de fadas. Mais uma vez, suspeitaram injustamente que ele tivesse tramado contra o imperador. No famoso poema de Longfellow sobre nosso pobre general, ele terminou a vida como um homem pobre e deficiente físico. No entanto, Longfellow conclui:

Isto, também, posso suportar; — Eu ainda
Sou Belisário!

Você não receberá o reconhecimento que merece. Será sabotado. Sofrerá fracassos inesperados. Suas expectativas não serão atendidas. Você perderá. Você falhará.

Como, então, prosseguir? Como se orgulhar de si mesmo e de seu trabalho? O conselho de John Wooden para seus jogadores diz tudo: mude a definição de sucesso. "O sucesso é a paz de espírito, que é um resultado direto da satisfação consigo mesmo por saber que você se *esforçou* para dar o seu melhor em se tornar o melhor que é capaz de ser." "Ambição", lembrava Marco Aurélio a si mesmo, "significa associar seu bem-estar ao que outras pessoas dizem ou fazem... Sanidade significa associá-lo a suas próprias ações."

Faça seu trabalho. E o faça bem. Então, "relaxe e deixe Deus agir". Isso é tudo que é preciso.

Reconhecimento e recompensas são bônus. A rejeição é problema de quem rejeita, não nosso.

O grande livro de John Kennedy Toole, *Uma Confraria de Tolos*, foi rejeitado por todos os editores. Isso o deixou tão arra-

O ESFORÇO É SUFICIENTE

sado que ele cometeria suicídio dentro do carro em uma estrada deserta de Biloxi, Mississippi. Após sua morte, a mãe de Toole descobriu o livro e batalhou até que fosse publicado. E, quando isso aconteceu, a obra ganhou o prêmio Pulitzer.

Pense nisso por um segundo. O que mudou nessas submissões para análise? Nada. O livro era o mesmo. Era igualmente bom enquanto manuscrito nas mãos de Toole e ele tentava convencer os editores a publicá-lo, e depois, quando foi enfim publicado, vendeu cópias e foi premiado. Se ele pudesse ter enxergado isso, teria sido poupado de muito sofrimento. Toole não foi capaz, mas a partir de seu doloroso exemplo nós ao menos podemos ver quão arbitrários são tantos períodos da vida.

É por isso que não podemos deixar coisas externas determinarem se algo vale ou não a pena. Cabe a nós decidir.

Afinal de contas, o mundo é indiferente ao que nós, humanos, "queremos". Se persistirmos em querer, em *precisar*, estaremos apenas nos condenando ao ressentimento, ou a algo ainda pior.

Fazer nosso trabalho é o que basta.

MOMENTOS *CLUBE DA LUTA*

Se você calar a verdade e enterrá-la, ela apenas vai crescer, reunir um poder explosivo tão grande que, no dia em que germinar, vai explodir tudo que estiver no seu caminho.

— EMILE ZOLA

É impossível listar todas as pessoas bem-sucedidas que atingiram o fundo do poço.

A noção de que todo mundo passa por momentos desagradáveis capazes de mudar perspectivas é quase um clichê. Mas isso não significa que não seja verdadeira.

Sete anos depois de se formar na faculdade, J. K. Rowling se viu em um casamento arruinado, sem emprego, vivendo como uma mãe solteira que mal conseguia alimentar os filhos e prestes a ficar sem um teto. O adolescente Charlie Parker acha que está arrasando no palco, completamente sintonizado com o resto do grupo, até que Jo Jones joga um címbalo nele e o expulsa, de um modo humilhante. Um jovem Lyndon Johnson leva uma surra de um caipira de Hill Country por causa de uma garota e, finalmente, acaba com a imagem de "o bonzão" que tinha de si mesmo.

O EGO É SEU INIMIGO

Há muitos jeitos de atingir o fundo do poço. Quase todo mundo passa por isso à própria maneira em algum momento.

No romance *Clube da Luta*, o apartamento do personagem Jack é explodido. Todos os seus bens — "cada pedaço de móvel", que ele amava pateticamente — foram perdidos no incêndio. Mais tarde, descobrimos que foi o próprio Jack que o explodiu. Ele tinha múltiplas personalidades e "Tyler Durden" orquestrou a explosão para tirar Jack do infeliz estupor em que se encontrava por ter medo demais para fazer algo a respeito. O resultado foi uma jornada a uma parte completamente diferente e um tanto obscura de sua vida.

Na mitologia grega, os personagens geralmente passam pela *katabasis* — ou "uma descida". Eles são forçados a retroceder, sofrem uma depressão ou, em alguns casos, literalmente descem ao submundo. Quando emergem, é com um conhecimento e uma compreensão elevados.

Hoje, chamaríamos isso de inferno — e, eventualmente, todos nós passamos algum tempo por lá.

Nós nos cercamos de bobagens, de distrações, de mentiras sobre o que nos faz feliz e o que é importante. Nós nos tornamos pessoas que não deveríamos nos tornar e adotamos comportamentos destrutivos e terríveis. Esse estado insalubre e decorrente do ego ganha força e se torna quase permanente. Até que a *katabasis* nos força a enfrentá-lo.

Duris dura franguntur. Quebro o duro com o duro.

Quanto maior o ego, pior a queda.

Seria ótimo se não precisasse ser assim. Se pudéssemos ser encorajados a corrigirmos nossos erros com gentileza, se uma censura suave fosse o suficiente para pôr fim a nossas ilusões, se conseguíssemos contornar o ego sozinhos. Mas não é assim.

MOMENTOS *CLUBE DA LUTA*

O reverendo William A. Sutton observou, cerca de 120 anos atrás, que "não conseguimos ser humildes a não ser que soframos humilhações". Como seria melhor nos pouparmos dessas experiências, mas às vezes essa é a única maneira de fazer o cego enxergar.

Aliás, muitas mudanças significativas na vida vêm de momentos em que somos completamente destruídos, em que tudo o que pensávamos saber sobre o mundo se revela falso. Podemos chamar essas situações de "momentos *Clube da Luta*". Às vezes, eles são espontâneos, às vezes, infligidos por outros. Mas, seja qual for sua causa, eles podem ser catalisadores de mudanças que estávamos morrendo de medo de fazer.

Escolha um momento de sua vida (talvez seja até mesmo o momento vivido agora). Uma crítica dilacerante de seu chefe na frente de toda a equipe. Aquela conversa com a pessoa que você amava. Um alerta do Google anunciando aquele artigo que você esperava jamais ter sido escrito. O telefonema do credor. A notícia que o fez desmoronar em sua cadeira, mudo e em choque.

E nesses momentos — quando expuseram algo nunca antes visto — você foi forçado a olhar bem nos olhos de uma coisa chamada Verdade. Você não pôde continuar se escondendo ou fingindo.

Esses momentos levantam muitas questões: *Como posso processar isso? Como sigo em frente e saio dessa? Isto é o fundo do poço, ou ainda falta? Alguém me mostrou meus problemas, e agora como posso resolvê-los? Como deixei isso acontecer? Como evitar que se repita?*

Uma olhada na história mostra que esses eventos parecem ser definidos por três características:

1. Eles quase sempre vêm pelas mãos de uma força ou de uma pessoa externa.
2. Em vários casos, envolveram algo que já sabíamos sobre nós mesmos, mas que tínhamos muito medo de admitir.
3. Da ruína veio a oportunidade para um grande progresso ou melhora.

Será que todo mundo aproveita essa oportunidade? É claro que não. O ego muitas vezes causa a queda e, em seguida, nos impede de melhorar.

A crise financeira de 2008 não foi um momento em que muitos puderam enxergar a verdade nua e crua? A irresponsabilidade contábil, um estilo de vida acima de sua capacidade, a ganância, a desonestidade, as tendências impossíveis de manter. Para alguns, ela serviu como um despertar. Outros, no entanto, poucos anos depois, estão de volta ao exato lugar onde se encontravam. Para eles, será pior na próxima vez.

Hemingway teve as próprias revelações no fundo do poço quando jovem. O que ele entendeu a partir delas foi registrado em um livro atemporal intitulado *Adeus às armas*. Ele escreveu: "O mundo destrói todo mundo, e depois disso muitos se tornam fortes justamente naquilo em que foram destruídos. Mas aqueles que não destrói, ele mata."

O mundo pode lhe mostrar a verdade, mas ninguém pode forçá-lo a aceitá-la.

Nos programas de 12 passos, quase todos os passos consistem em suprimir o ego e apagar a arrogância, a bagagem e os escombros que foram acumulados para que você possa enxergar o que vai restar quando tudo isso lhe for tirado e a verdadeira pessoa que há em você ficar exposta.

MOMENTOS *CLUBE DA LUTA*

É sempre tão tentador fugir para aquela velha amiga, a negação (que é apenas seu ego se recusando a acreditar que aquilo de que você não gosta pode ser verdade).

Os psicólogos costumam dizer que o egoísmo ameaçado é uma das forças mais perigosas do mundo. O membro de uma gangue cuja "honra" é contestada. O narcisista rejeitado. O valentão submetido à vergonha. O impostor exposto. O plagiador ou o adepto de enfeitar histórias que não consegue mais enganar ninguém.

São pessoas das quais você não vai desejar estar perto quando forem encurraladas. Também não vai querer estar na mesma situação que elas. É aí que ouvimos: *Como essas pessoas podem falar assim comigo? Quem pensam que são? Vou fazer todas elas pagarem por isso.*

Às vezes, por não podermos encarar o que foi dito ou feito, fazemos o impensável em reação ao insuportável: pioramos a situação. Eis o ego em sua forma mais pura e tóxica.

Pensemos em Lance Armstrong. Ele trapaceou, mas muitas pessoas fizeram o mesmo. Foi só quando a trapaça veio a público e ele foi forçado a ver — ao menos por um segundo — que *ele era um trapaceiro* que as coisas pioraram. Armstrong insistiu em negar tudo, apesar de todas as evidências. Insistiu em arruinar a vida de outras pessoas. Temos tanto medo de perder a autoestima, ou — Deus me livre — a estima que os outros têm por nós, que consideramos a possibilidade de fazer coisas terríveis.

"Pois todo aquele que pratica o mal odeia a luz e não se aproxima da luz, temendo que as suas obras sejam expostas", lemos em João 3:20. Em maior ou menor grau, isso é tudo que todos nós fazemos. Ser colocado sob essa luz não é uma sensa-

O EGO É SEU INIMIGO

ção boa — seja a exposição de uma simples ilusão ou de um verdadeiro mal —, mas fugir só adia o ajuste de contas. Por quanto tempo, ninguém pode dizer.

Enfrente os sintomas. Cure a doença. O ego dificulta tanto isso — é mais fácil adiar, persistir no erro, evitar deliberadamente enxergar as mudanças que precisamos fazer em nossas vidas.

Mas a mudança começa quando ouvimos as críticas e as palavras de quem convive conosco. Mesmo que essas palavras sejam maldosas, raivosas ou dolorosas. Devemos pesá-las, descartar aquelas que não têm importância e refletir sobre as que importam.

Em *Clube da Luta*, o personagem precisa explodir o próprio apartamento para finalmente enxergar a verdade. Nossas expectativas, nossos exageros e nosso descontrole tornaram esses momentos inevitáveis, garantindo que fossem dolorosos. Agora que seu momento chegou, o que você vai fazer com ele? Você pode mudar, ou se negar a isso.

Vince Lombardi disse certa vez: "Um time, como acontece com os homens, precisa dobrar os joelhos antes de poder se levantar novamente." Portanto, sim, chegar ao fundo do poço é tão doloroso quanto parece.

Mas depois a sensação é uma das perspectivas mais fortes do mundo. O presidente Obama a descreveu da seguinte maneira quando chegou ao final de seus dois difíceis mandatos: "Desci as Cataratas do Niágara de barril e emergi, e sobrevivi, e essa é uma sensação libertadora."

Se pudéssemos evitar, seria melhor que nunca tivéssemos sofrido ilusão. Seria melhor se nunca tivéssemos tido de ficar de joelhos ou de chegar ao limite. Foi sobre isso que passamos

MOMENTOS *CLUBE DA LUTA*

tanto tempo falando neste livro. Se perdermos a luta, é aqui que acabamos.

No final, a única maneira de avaliar seu progresso é ficar na beira do buraco que você cavou para si, olhar para dentro dele e sorrir carinhosamente para as marcas de unhas que, repletas de sangue, sinalizam sua escalada por aquelas paredes.

SAIBA QUANDO PARAR

Só pode arruinar sua vida se arruinar seu caráter.

— MARCO AURÉLIO

John DeLorean levou sua companhia automobilística à falência com uma combinação de ambição desmedida, negligência, narcisismo, ganância e má administração. Quando as más notícias começaram a se acumular e o cenário ficou claro e veio a público, como você acha que ele reagiu?

Com uma aceitação resignada? Teria ele reconhecido os erros apontados pela primeira vez por funcionários insatisfeitos? Será que conseguiu refletir, mesmo que de maneira superficial, sobre os erros e as decisões que haviam causado tantos problemas não apenas para si mesmo, mas também para seus investidores e funcionários?

É claro que não. Em vez disso, desencadeou uma série de eventos que terminariam com um esquema de 60 milhões de dólares com o tráfico de drogas e sua prisão subsequente. Isso mesmo, quando sua companhia começou a apresentar graves problemas (causados exclusivamente por seu estilo administrativo antiprofissional), ele achou que a melhor maneira de

O EGO É SEU INIMIGO

salvar tudo seria conseguir financiamento por meio do transporte ilegal de quase 100 kg de cocaína.

Óbvio que, depois de sua prisão muito divulgada e constrangedora, DeLorean acabou absolvido das acusações pelo implausível argumento de ter caído em uma "armadilha". Detalhe: ele foi filmado segurando um saquinho de cocaína e dizendo exultante: "Isto aqui é ouro puro."

Não há dúvida sobre quem causou a derrocada de John DeLorean. Também não há dúvida sobre quem piorou tudo. A resposta é: ELE MESMO. DeLorean se viu em um buraco e continuou cavando até chegar ao inferno.

Se ele ao menos tivesse parado. Se em algum momento tivesse dito: é esta a pessoa que quero ser?

As pessoas cometem erros o tempo todo. Elas fundam companhias que acreditam poder administrar. Têm visões ousadas e grandiosas que acabam passando um pouco dos limites. Isso é comum, acontece com qualquer empreendedor, criador ou até executivo.

Nós corremos riscos. Nós erramos.

O problema é que, quando confundimos nossa identidade com nosso trabalho, tememos que qualquer falha possa passar uma mensagem negativa sobre nós. É um medo de assumir a responsabilidade, de admitir que talvez tenhamos errado. É a falácia do custo irrecuperável. Assim, desperdiçamos dinheiro e vida insistindo em um erro e acabamos piorando tudo.

Digamos que as paredes pareçam estar se fechando. Talvez a sensação seja de que você foi traído ou de que o trabalho de sua vida foi roubado. Essas não são emoções racionais e positivas que podem levar a ações racionais e positivas.

SAIBA QUANDO PARAR

O ego pergunta: *Por que isto está acontecendo comigo? Como posso salvar as coisas e provar para todo mundo que sou tão incrível quanto pensam?* É o medo animalesco até mesmo do menor sinal de fraqueza.

Você já viu isso. Você já fez isso. Lutar desesperadamente por alguma coisa que só está piorando.

Esse não é um caminho para se realizar grandes feitos.

Tomemos Steve Jobs como exemplo. Ele foi 100% responsável por sua demissão da Apple. Em virtude de seu sucesso posterior, a decisão da empresa de demiti-lo parece um exemplo de liderança incompetente, mas na época ele era intratável. Seu ego estava inequivocadamente fora de controle. Se você fosse John Sculley e CEO da Apple, também teria demitido aquela versão de Jobs — e também estaria certo.

A reação de Steve Jobs à demissão, por outro lado, foi compreensível. Ele chorou. Ele lutou. Quando perdeu, Jobs manteve suas ações da Apple, vendeu as demais e jurou nunca mais pensar naquele lugar. Mas então ele fundou uma nova empresa e dedicou sua vida a ela. Tentou aprender o máximo possível com os erros administrativos que estavam na raiz de seu primeiro fracasso. E, depois dessa, fundou uma segunda companhia chamada Pixar. Steve Jobs, o famoso egomaníaco que estacionava seu carro em vagas para deficientes só porque podia, reagiu a esse momento crítico de maneira surpreendente. Ou, pelo menos, com humildade para um CEO convencido da própria genialidade. Ele trabalhou não só até recuperar o respeito, mas fez correções significativas nas falhas que antes haviam levado à sua queda.

Não é sempre que pessoas bem-sucedidas ou poderosas conseguem fazer isso. Não quando experimentam um fracasso desolador.

O EGO É SEU INIMIGO

O fundador da American Apparel, Dov Charney, é um exemplo. Após perdas de cerca de 300 milhões de dólares e inúmeros escândalos, a companhia lhe deu uma opção: abandonar a cadeira de CEO e passar a contribuir com orientações como consultor (por um salário muito generoso) ou ser demitido. Ele rejeitou as duas alternativas e escolheu algo muito pior.

Depois de entrar com um processo como protesto, Charney apostou toda a sua participação na companhia para dar início a uma OPA hostil com um fundo de cobertura, e insistiu que sua conduta fosse investigada e julgada. Foi isso que aconteceu, e ele não foi vingado. Sua vida pessoal foi espalhada em manchetes e detalhes constrangedores foram revelados. O advogado que ele escolheu para representá-lo em seus processos, por acaso, foi o mesmo que já o havia processado quase meia-dúzia de vezes por assédio sexual e irregularidades financeiras. No passado, Charney acusara o homem de chantagem e de fazer acusações falsas. Agora, os dois estavam trabalhando juntos.

A American Apparel gastou mais de 10 milhões de dólares que não tinha na luta contra Charney. Um juiz emitiu uma medida protetiva. As vendas despencaram. Por fim, a empresa começou a demitir operários e funcionários antigos — as mesmas pessoas por quem ele afirmava estar lutando — só para sobreviver. Um ano depois, eles estavam falidos e o dinheiro de Charney também havia acabado. Eu estava lá, assisti a tudo e fiquei arrasado.

É como no caso do desonrado estadista e general Alcibíades. Na Guerra do Peloponeso, ele primeiro lutou por sua terra natal e seu grande amor, Atenas. Depois disso, forçado a deixar a cidade por um crime regado a álcool que pode ou não

SAIBA QUANDO PARAR

ter cometido, Alcibíades desertou para Esparta, inimiga jurada de Atenas. Após entrar em conflito com os espartanos, ele desertou para a Pérsia — inimiga jurada de ambas. Por fim, foi chamado de volta a Atenas, onde seus ambiciosos planos de invadir a Sicília levaram os atenienses à ruína definitiva.

O ego mata o que amamos. Às vezes, quase nos mata também.

É interessante que Alexander Hamilton — que, entre os fundadores dos Estados Unidos, foi o que teve o fim mais trágico e desnecessário — tenha palavras sábias a respeito desse tópico. Mas o fato é que ele tem (quem dera houvesse se lembrado do próprio conselho antes de seu duelo fatal). "Aja com *bravura* e *honra*", escreveu ele para um amigo atormentado que passava por sérios problemas financeiros e legais causados por si mesmo. "Se não há razão para esperar por uma solução favorável, não se afunde mais. Tenha coragem para pôr um ponto-final."

Um *ponto-final*. Não que os personagens dos exemplos anteriores devessem ter desistido de tudo. Mas um lutador que não consegue derrubar um oponente e que é incapaz de reconhecer quando chega a hora de parar acaba se machucando. Gravemente. Você precisa enxergar o panorama geral.

Mas quando o ego está no controle, quem consegue enxergar?

Digamos que você tenha fracassado e que a culpa foi sua. Como se diz, merdas acontecem e, às vezes, elas acontecem *em público*. Não é divertido. Mas a questão permanece: você vai piorar tudo? Ou vai sair dessa com a dignidade e o caráter intactos? Vai sobreviver para enfrentar outro dia?

Quando parece que um time vai perder um jogo, o técnico não os chama para mentir para os jogadores. Em vez disso, ele os lembra de quem são e do que são capazes, incentivando-os a voltar ao jogo e incorporar isso. Tirando os pensamentos sobre vitória e milagres da cabeça, um bom time faz o melhor que pode para concluir o jogo com o padrão mais elevado possível (e divide o tempo com outros jogadores que não participam regularmente). E, às vezes, eles voltam e vencem.

A maioria dos problemas é temporária... a não ser que você não queira. A recuperação não é nada incrível, mas um passo de cada vez. A não ser que sua cura seja mais da mesma doença.

Só o ego acredita que o constrangimento e o fracasso são mais do que realmente são. A história está cheia de pessoas que sofreram humilhações abjetas, mas se recuperaram para viver carreiras longas e impressionantes. Políticos que perderam eleições ou cargos por indiscrições — porém, passado algum tempo, voltaram à liderança. Atores cujos filmes foram um fiasco, autores que sofreram de um bloqueio criativo, celebridades que cometeram gafes, pais e mães que erraram, empreendedores com companhias instáveis, executivos que foram demitidos, atletas cortados, pessoas que viveram bem demais no topo do mercado. Todos eles sentiram a dor do fracasso exatamente como nós. Quando perdemos, temos uma escolha: vamos fazer disso uma situação em que todos saem perdendo? Ou vamos fazer dela uma situação em que se perde para depois ganhar?

Porque você vai perder na vida. É um fato. Um médico precisa declarar a hora do óbito em algum momento. É simples assim.

O ego diz que somos um objeto inabalável, uma força imbatível. Essa ilusão gera problemas. Ela encontra fracassos e adversidades com a quebra de regras — apostando tudo em algum esquema maluco, investindo em maquinações escusas

SAIBA QUANDO PARAR

ou jogadas desesperadas e improváveis —, apesar de ter sido exatamente isso que colocou a pessoa nesse ponto difícil.

A qualquer momento no ciclo da vida podemos estar aspirando ao sucesso, prosperando ou falhando — ainda que neste exato momento estejamos passando pelo fracasso. Com sabedoria, entendemos que essas posições são transitórias, e não vereditos sobre nosso valor como seres humanos. Quando o sucesso começa a escorrer por entre seus dedos, seja qual for a razão para que isso aconteça, sua reação não deve ser se agarrar com tanta força a ele a ponto de quebrá-lo em mil pedaços. Você deve entender que precisa trabalhar para voltar à fase da aspiração. Você precisa retornar aos princípios essenciais e às melhores práticas.

"Aquele que teme a morte jamais fará qualquer coisa digna de um homem vivo", disse Sêneca certa vez. Em outras palavras: aquele que faz qualquer coisa para evitar o fracasso quase certamente fará algo *digno de um fracasso*.

O único fracasso real é abandonar seus princípios. Matar o que você ama por não suportar afastar-se do objeto de seu amor é egoísta e estúpido. Se sua reputação não é capaz de absorver alguns golpes, ela simplesmente nunca valeu nada.

TENHA SEUS PRÓPRIOS
CRITÉRIOS DE AVALIAÇÃO

Nunca olho para trás, exceto para descobrir quais foram os meus erros... Só vejo riscos em relembrar coisas das quais nos orgulhamos.

— Elisabeth Noelle-Neumann

Em 16 de abril de 2000, o New England Patriots convocou um lançador (quarterback) extra que atuava na Universidade de Michigan. Eles o haviam analisado meticulosamente e já fazia algum tempo que estavam de olho nele. Ao ver que ainda estava disponível, o time o convocou. Era a sexta rodada e a 199ª escolha do draft.

O nome do jovem lançador era Tom Brady.

Ele era o quarto reserva no início de sua primeira temporada. Na segunda temporada, já era um jogador titular. O New England venceu o Super Bowl naquele ano e Brady foi nomeado o jogador mais valioso (MVP).

Em termos de lucratividade, essa provavelmente foi a melhor escolha em um draft na história do futebol americano: quatro anéis do Super Bowl (em seis participações), catorze temporadas

O EGO É SEU INIMIGO

como jogador titular, 172 vitórias, 428 touchdowns, três vezes nomeado MVP do Super Bowl, 58.000 jardas, dez Pro Bowls e mais títulos de divisão do que qualquer lançador da história. E os dividendos ainda estão entrando. Brady talvez ainda tenha várias outras temporadas pela frente.

Então, seria de se imaginar que o escritório do Patriots tivesse ficado em êxtase com o resultado do investimento — e, de fato, eles ficaram. Mas também ficaram profundamente decepcionados consigo mesmos. As surpreendentes habilidades de Brady serviram para mostrar que os relatórios dos olheiros do Patriots estavam muito enganados. Apesar de todas as avaliações feitas com jogadores, eles, de algum modo, haviam deixado passar batido todos os seus atributos intangíveis. Haviam deixado aquela pérola esperando até a *sexta rodada*. Outra pessoa poderia tê-lo convocado. Pior ainda, eles sequer sabiam se estavam certos a respeito dele até que lesões tiraram de campo Drew Bledsoe, seu prezado titular, forçando-os a se dar conta do potencial de Brady.

Assim, apesar de a aposta ter compensado, os Patriots precisaram trabalhar nas falhas específicas de sua inteligência, falhas estas que poderiam ter impedido a escolha. Não que eles estivessem procurando defeitos ou sendo perfeccionistas. Eles tinham padrões elevados de desempenho aos quais precisavam se ater.

Durante anos, Scott Pioli, diretor de pessoal dos Patriots, manteve em sua mesa uma foto de Dave Stachelski, um jogador que o time havia convocado na quinta rodada, mas que nunca havia passado do campo de treinamento. Era um lembrete: você não é tão bom quanto pensa. Não sabe de tudo. Mantenha o foco. Supere-se.

TENHA SEUS PRÓPRIOS CRITÉRIOS DE AVALIAÇÃO

O técnico John Wooden também era muito claro em relação a isso. Não era o placar que definia se ele ou o time haviam sido bem-sucedidos, não era nisso que consistia a "vitória". Bo Jackson não se impressionava quando conseguia um home run ou corria para um touchdown, porque sabia que "não havia feito de forma *perfeita*". (Na verdade, ele não pedia a bola depois do primeiro acerto no beisebol da liga principal por essa razão. Para ele, era "só uma bola batida no meio do campo".)

Essa é uma característica de como os grandes pensam. Não que eles vejam fracasso no sucesso. Eles simplesmente se atêm a um padrão que vai além do que a sociedade pode considerar como sucesso objetivo. Por isso, não se importam muito com o que os outros pensam, mas sim em atender aos próprios padrões. E esses padrões são muito, muito superiores aos de qualquer outra pessoa.

Os Patriots viram a escolha de Brady mais como um golpe de sorte do que de inteligência. E apesar de algumas pessoas não se incomodarem em receber crédito pela sorte, eles se incomodavam. Ninguém poderia dizer que os Patriots — ou qualquer time da NFL — não têm ego. Mas, nesse exemplo, em vez de celebrarem ou se parabenizarem, eles arregaçaram as mangas e se concentraram em *melhorar ainda mais*. É isso que faz da humildade uma força tão poderosa — organizacional, pessoal e profissionalmente.

É claro que isso não é nada divertido. Às vezes, pode parecer masoquismo. Mas nos força a seguir sempre em frente e sempre melhorar.

O ego não pode ver os dois lados da moeda. Ele não consegue melhorar porque só enxerga a aprovação. Lembre-se: "Os homens vaidosos não ouvem nada além de elogios." O ego só consegue enxergar o que vai bem, e nunca o que vai mal. É por isso que você pode ver egomaníacos em posições de liderança temporárias, mas raramente em duradouras.

Para nós, o placar não pode ser o único placar. Warren Buffett disse a mesma coisa, fazendo uma distinção entre o placar interno e o externo. Seu potencial, o melhor absoluto de que é capaz, essa é a régua que você deve usar para se mensurar. São os seus padrões. Vencer não é o bastante. Podemos vencer por sorte. Podemos ser idiotas e mesmo assim vencer. Qualquer um pode vencer. Mas nem todos são a melhor versão possível de si mesmos.

Sim, é duro. Por outro lado, significa ser capaz de conservar o orgulho e a força mesmo durante um fracasso ocasional. Quando você tira o ego da equação, as opiniões dos outros e os padrões externos deixam de importar tanto. Isso é mais difícil, mas, no final das contas, é a fórmula para a resiliência.

O economista (e filósofo) Adam Smith tinha uma teoria sobre como as pessoas sábias e boas avaliam suas ações:

> Há duas ocasiões diferentes em que nos autoavaliamos e ousamos enxergar nossa conduta sob a luz na qual o espectador imparcial veria: primeiro, quando estamos prestes a agir; e, segundo, depois de termos agido. Nossos pontos de vista tendem a ser muito parciais em ambos os casos, mas tendem a ser mais parciais ainda quando o mais importante é se manter neutro. Quando estamos prestes a agir, a avidez da paixão raramente nos permite avaliar nossas ações com a mesma honestidade que teria um indivíduo indiferente... Quando a ação se dá, de fato, e as paixões

TENHA SEUS PRÓPRIOS CRITÉRIOS DE AVALIAÇÃO

que a provocaram arrefecem, podemos penetrar com mais frieza nos sentimentos do espectador indiferente.

O "espectador indiferente" é um tipo de guia por meio do qual podemos julgar nosso próprio comportamento, o oposto dos aplausos que a sociedade dispensa com tanta frequência. Contudo, não se trata apenas de validação.

Pense em todas as pessoas que justificam seu comportamento — políticos, CEOs poderosos etc. — como "não ilegal, do ponto de vista técnico". Pense nas vezes em que você justificou seu próprio comportamento com "ninguém vai saber". Essa é a área cinzenta da moral que nosso ego adora explorar. Submeter seu ego a um padrão (interior, indiferente ou seja lá como você queira chamá-lo) torna cada vez menos provável que você possa tolerar os excessos ou as transgressões. Pois a questão não é do que você pode se safar, e sim o que você deve ou não deve fazer.

A princípio, é um caminho mais difícil, mas que no final das contas vai nos tornar menos egoístas e egocêntricos. Uma pessoa que julga a si mesma com base nos próprios padrões não busca os holofotes do mesmo jeito que alguém que deixa os aplausos ditarem o sucesso. Quem é capaz de pensar no longo prazo não sente pena de si mesmo durante os reveses de curto prazo. Aquele que valoriza a equipe pode dividir o crédito e refrear os próprios interesses de um modo que a maioria não consegue.

Refletir sobre o que deu certo ou sobre como somos incríveis não nos leva a lugar nenhum, exceto, talvez, ao lugar onde você está agora. Mas queremos ir além, queremos mais, queremos continuar melhorando.

O EGO É SEU INIMIGO

O ego impede isso, então devemos esmagá-lo com padrões cada vez mais elevados. Não é como a postura de uma pessoa gananciosa, de nunca se dar por satisfeita, mas sim, nos aproximarmos aos poucos do aperfeiçoamento real, com a disciplina substituindo a avidez.

AME SEMPRE

E por que deveríamos sentir raiva do mundo?
Como se o mundo fosse perceber!

— EURÍPEDES

Em 1939, um jovem prodígio chamado Orson Welles fechou um dos acordos mais inusitados da história de Hollywood. Ele poderia escrever, atuar e dirigir em dois filmes de sua escolha para a RKO, um importante estúdio. Para o primeiro filme, decidiu contar a história de um misterioso magnata dos jornais que se tornou prisioneiro do próprio império gigantesco e do próprio estilo de vida.

William Randolph Hearst, o infame magnata da mídia, concluiu que esse filme se baseava em sua vida e, mais do que isso, que contava sua história de maneira ofensiva. Assim, deu início — e, a princípio, foi bem-sucedido — a uma campanha incansável para destruir um dos melhores filmes de todos os tempos.

Eis o que é tão interessante nessa história. Primeiro, é mais provável que Hearst nunca tenha assistido ao filme, então ele não fazia ideia do que de fato havia no longa. Em segundo lugar, o filme não era sobre ele — ou, pelo menos, não exclusivamente. (Até onde sabemos, o personagem Charles Foster Kane era um amálgama de várias figuras históricas, entre as quais Samuel Insull e Robert McCormick; o filme foi inspirado por dois retratos similares do poder traçados por Charlie Chaplin e Aldous Huxley, e seu objetivo não era fazer desses personagens vilões, e sim humanizá-los.) Terceiro, Hearst na época era um dos homens mais ricos do mundo e, com 78 anos, estava chegando ao fim da vida. Por que passar tanto tempo desperdiçando energia em algo tão inofensivo quanto um filme fictício de um diretor estreante? Quarto, foi exatamente sua campanha contra o filme que assegurou o lugar da obra no imaginário popular e deixou claro até que ponto ia sua necessidade de controlar e manipular as coisas. Ironicamente, ele garantiu o próprio legado como um personagem norte-americano injuriado, mais do que qualquer crítico poderia ter feito.

Daí o paradoxo entre o ódio e a amargura. Ele alcança quase exatamente o oposto que esperamos alcançar. Na era da internet, chamamos isso de efeito Streisand (nome criado depois de uma tentativa semelhante da cantora e atriz Barbra Streisand de remover legalmente uma foto de sua casa da internet. Suas ações foram um tiro pela culatra e a foto foi vista por um número muito maior de pessoas do que seria se ela não tivesse feito nada). Tentar destruir algo por ego ou ódio costuma garantir exatamente sua preservação e disseminação eterna.

O ponto a que Hearst chegou foi absurdo. Ele mandou sua colunista de fofocas mais influente e poderosa, Louella Parsons, ir até o estúdio para exigir uma exibição. Com base no que ela lhe narrou, ele decidiu que faria tudo que estivesse a seu alcan-

AME SEMPRE

ce para evitar que o filme viesse a público. Emitiu uma ordem para que nenhum de seus jornais mencionasse qualquer filme da RKO — a companhia que produziu *Cidadão Kane* — e *ponto-final*. (Mais de uma década depois, a proibição ainda se aplicava a Welles em todos os jornais de Hearst.) Os jornais de Hearst começaram a explorar histórias negativas sobre Welles e sua vida particular. A colunista de fofoca ameaçou fazer o mesmo com cada membro da diretoria da RKO. Hearst também ameaçou a indústria cinematográfica como um todo no intuito de colocar os responsáveis pelos estúdios contra o filme. Uma oferta de 800 mil dólares foi feita para que os direitos do filme fossem comprados e Hearst pudesse queimá-lo e destruí-lo. A maioria das redes de cinemas foram pressionadas a se recusar a exibir o filme e nenhum anúncio foi permitido em nenhuma propriedade de Hearst. Seus defensores começaram a reportar rumores de Welles a várias autoridades e, em 1941, o FBI de J. Edgar Hoover abriu uma ficha para ele.

O resultado foi que o filme foi um fracasso comercial. Levou anos para que ele encontrasse seu lugar de destaque no campo cultural. Esse atraso só foi possível graças a um grande custo e muito esforço de Hearst.

Todos nós passamos por experiências que nos deixam furiosos. Quanto mais bem-sucedidos e poderosos nos tornamos, acreditamos que é necessário proteger um número cada vez maior de coisas, pois só assim manteremos ileso nosso legado, imagem e influência. Se não formos cuidadosos, contudo, podemos acabar desperdiçando uma quantidade incrível de tempo ao tentar evitar que o mundo nos desagrade ou desrespeite.

É triste imaginar a quantidade de mortes desnecessárias e os desperdícios inúteis infligidos ao longo do tempo por ho-

O EGO É SEU INIMIGO

mens furiosos ou mulheres ofendidas, afetando outras pessoas, a sociedade e a eles mesmos. E por quais motivos? Por razões das quais dificilmente podemos nos lembrar.

Você sabe qual é a melhor reação a um ataque, ao desprezo ou a qualquer coisa de que não goste? O amor. Isso mesmo, *amor*. Para o vizinho que não quer abaixar o som. Para o pai ou a mãe que o decepcionou. Para o funcionário público que perdeu seus documentos. Para o grupo que o rejeita. Para o crítico que o ataca. Para o ex-sócio que roubou sua ideia. Para a vaca ou o filho da mãe que o traiu. Amor.

Pois, como diz a letra da música, *"hate will get you everytime"*, ou "o ódio vai pegar você toda hora".

Ok, talvez seja demais pedir amor para o que quer que você tenha feito a si mesmo. Você poderia ao menos deixar para lá. Poderia tentar balançar a cabeça e rir.

De outra forma, o mundo testemunhará outro exemplo de um padrão atemporal e patético: uma pessoa rica e poderosa acaba tão isolada e fora da realidade que, quando alguma coisa que contraria seu desejo acontece, ela se deixa consumir. A mesma determinação que fez dela alguém importante de repente se torna uma grande fraqueza. Ela transforma a menor inconveniência em uma ferida imensa. A ferida inflama, infecciona e pode até matá-la.

Foi isso que motivou Nixon, para depois, infelizmente, afundá-lo. Refletindo sobre o próprio exílio, ele mais tarde reconheceu que a autoimagem em que passara a vida inteira acreditando, a de que era um lutador em guerra contra um mundo hostil, fora sua ruína. Ele havia se cercado de outros "caras durões". As pessoas esquecem que Nixon foi reeleito por uma *vitória esmagadora* depois de Watergate. Ele simplesmente

AME SEMPRE

não conseguia evitar — continuou lutando, perseguindo repórteres e atacando todos aqueles que, segundo ele, o insultaram
ou duvidaram dele. Foi isso que continuou alimentando a
história e, no final das contas, o afundou. Como tantas pessoas
parecidas, ele acabou se prejudicando mais do que qualquer
pessoa poderia tê-lo prejudicado. A raiz do problema foi sua
tendência ao ódio e sua fúria, e nem o fato de ser o líder mais
poderoso do mundo livre foi capaz de mudar isso.

As coisas não precisam ser assim. Booker T. Washington
conta-nos uma história que lhe foi reportada por Frederick
Douglass sobre uma ocasião em que ele estava viajando e lhe pe-
diram para sair de onde estava e ocupar o bagageiro por causa da
cor da sua pele. Um simpatizante branco correu até ele para se
desculpar pela terrível ofensa. "Sinto muito, senhor Douglass,
pelo senhor ter sido degradado dessa maneira", disse a pessoa.

Douglass não estava interessado em desculpas. Ele não estava com raiva. Não estava magoado. E respondeu com muito
fervor: "Eles não podem degradar Frederick Douglass. A alma
que tenho dentro de mim, nenhum homem pode degradar.
Não fui eu quem foi degradado por causa desse tratamento,
mas aqueles que o infligiram a mim."

É claro que essa é uma atitude extremamente difícil de se
tomar. É muito mais fácil odiar. É natural atacar.

No entanto, descobrimos que o que define grandes líderes
como Douglass é que, em vez de odiarem seus inimigos, eles
sentem um tipo de pena e empatia por eles. Pensemos em
Barbara Jordan na Convenção Nacional do Partido Democrata de 1992 propondo um plano de "... amor. Amor. Amor.
Amor". Pensemos em Martin Luther King Jr. pregando repetidamente que o ódio era um fardo e o amor era liberdade. O

O EGO É SEU INIMIGO

amor era transformador, o ódio era debilitante. Em um de seus sermões mais famosos, ele foi além: "Começamos a amar nossos inimigos e a amar aqueles que nos odeiam, seja na vida coletiva ou na vida individual, olhando para nós mesmos." Precisamos nos despir do ego que nos protege e nos sufoca, pois, como ele disse, o "ódio em qualquer momento é um câncer que corrói o centro de nossa vida e existência. É como um ácido erosivo que consome o centro objetivo da sua vida."

Pense bem por um segundo. Do que você não gosta? Que nome o enche de repulsa e raiva? Agora, pergunte-se: esses sentimentos tão fortes o ajudaram a conquistar *alguma coisa*?

E reflita um pouco mais fundo: aonde o ódio e a raiva levaram *qualquer pessoa*?

Sobretudo porque, quase que de maneira universal, os traços dos comportamentos que nos enfureceram nos outros — sua desonestidade, seu egoísmo, sua preguiça — dificilmente vão ajudá-los no final das contas. Seu ego e sua miopia serão sua própria punição.

A pergunta que devemos nos fazer é: vamos sofrer só porque outras pessoas sofrem?

Pensemos em como Orson Welles reagiu à campanha de décadas promovida por Hearst. De acordo com seu próprio relato, ele esbarrou no magnata em um elevador na noite da estreia do filme — exatamente aquele que Hearst tentara de todas as maneiras evitar que fosse lançado. Você sabe o que Welles fez? Convidou Hearst para acompanhá-lo. Quando Hearst declinou do convite, ele brincou dizendo que Charles Foster Kane com certeza teria aceitado.

Levou muito tempo para que a genialidade de Welles naquele filme enfim fosse reconhecida pelo restante do mundo.

Não importa; Welles seguiu em frente, fazendo outros filmes e produzindo outras obras de arte fantásticas. Em todos os aspectos, ele teve uma vida realizada e feliz. No final das contas, *Cidadão Kane* assegurou seu lugar no topo da história do cinema. Setenta anos depois da estreia do filme, ele finalmente foi exibido em Hearst Castle, San Simeon, hoje um parque estadual.

Os eventos que Welles foi obrigado a suportar não foram exatamente justos, mas pelo menos ele não deixou que arruinassem sua vida. Como sua namorada de vinte e poucos anos disse durante seu funeral ao se referir não só a Hearst, mas a cada golpe que o diretor recebeu ao longo da carreira em uma indústria notoriamente implacável: "Eu juro que nada disso o deixou amargo." Em outras palavras, ele nunca se tornou como Hearst.

Nem todos são capazes de reagir dessa maneira. Nos diversos momentos de nossa vida, parece que temos capacidades diferentes de perdoar e compreender. E mesmo quando alguns conseguem seguir em frente, seguem com uma carga desnecessária de ressentimento. Você se lembra de Kirk Hammett, que de repente se tornou o guitarrista do Metallica? O homem que eles expulsaram para substituir por ele, Dave Mustaine, acabou formando outra banda, o Megadeth. Mesmo em meio a um sucesso inacreditável, ele era devorado por um sentimento de raiva e ódio devido ao modo como fora tratado anos antes. Isso o levou à dependência química e poderia até mesmo tê-lo matado. Levou dezoito anos para que ele conseguisse sequer começar a processar o que acontecera, dizendo que parecia ter sido ontem que fora magoado e rejeitado. Quando o ouvimos falar, como certa vez fez na frente das câmeras para os ex-cole-

O EGO É SEU INIMIGO

gas de banda, a impressão que temos é de que ele acabou vivendo embaixo de uma ponte. Na verdade, o cara vendeu milhões de discos, produziu músicas incríveis e teve a vida de um astro do rock.

Nós todos já sentimos essa dor — e, para citar a letra dele, todos algum dia "smile[d] its blacktooth grin", ou "demos um sorriso de dentes pretos". Essa obsessão pelo passado, por alguma coisa que alguém fez ou por como as coisas deveriam ter sido, por mais que doa, é a face do ego. Todo mundo seguiu em frente, mas você não é capaz, porque não consegue ver nada além da própria vontade. Você não consegue conceber a ideia de aceitar que alguém pôde magoá-lo, deliberadamente ou não. Então, você odeia.

No fracasso ou na adversidade, é fácil odiar. O ódio evita a culpa. Ele responsabiliza os outros. É também uma distração, pois não fazemos muito mais quando estamos ocupados nos vingando ou investigando os males que supostamente nos causaram.

Isso nos ajuda de algum modo a chegar onde queremos? Não. Isso apenas nos mantém onde estamos — ou, pior, impede completamente nosso desenvolvimento. Se já somos bem-sucedidos, como Hearst era, isso mancha nosso legado e amarga o que poderiam ter sido nossos anos dourados.

Enquanto isso, o amor está bem ali. Sem ego, aberto, positivo, vulnerável, pacífico e produtivo.

PARA TUDO O QUE VEM A SEGUIR, O EGO É SEU INIMIGO

Não gosto de trabalhar — nenhum homem gosta.
Mas gosto do que há no trabalho — a chance de se
encontrar.

— JOSEPH CONRAD

Na biografia épica da vida de Winston Churchill escrita por William Manchester, o volume intermediário — o terceiro da coleção — é intitulado *Alone* [Sozinho]. Por oito anos inteiros, Churchill enfrentou praticamente sozinho seus colegas de visão limitada e a ameaça crescente do fascismo, mesmo no Ocidente. Mas, no final das contas, ele saiu triunfante mais uma vez. E voltou a enfrentar a adversidade. E foi, novamente, vitorioso.

Katharine Graham estava só quando assumiu o império jornalístico da família. Seu filho, Donald Graham, deve ter sentido uma pressão semelhante enquanto tentava preservar a companhia durante os declínios dramáticos da indústria em meados dos anos 2000. Os dois conseguiram. E você também pode.

O EGO É SEU INIMIGO

Não há escapatória: nós passaremos por dificuldades. Sentiremos o toque do fracasso. Como Benjamin Franklin observou, aqueles que "bebem até o fundo da caneca devem estar preparados para encontrar alguma borra."

Mas e se essas borras não fossem tão ruins? Como disse Harold Geneen: "As pessoas aprendem com os fracassos. Elas raramente aprendem alguma coisa com o sucesso." É por isso que o velho ditado celta afirma: "Veja muito, estude muito, sofra muito, eis o caminho para a sabedoria."

O que você está enfrentando agora pode e deve ser o mesmo caminho.

Sabedoria ou ignorância? O ego é que dá o voto decisivo.

A aspiração leva ao sucesso (e à adversidade). O sucesso cria suas próprias adversidades (e, esperamos, novas ambições). E a adversidade leva à aspiração e a mais sucesso. É um *loop* infinito.

Todos nós nos encontramos nesse contínuo. Ocupamos lugares diferentes nele em vários momentos de nossa vida. Mas, quando falhamos, é uma droga. Não há dúvidas.

O que quer que venha a seguir para cada um de nós, podemos estar certos de uma coisa que vamos querer evitar: o ego. Ele dificulta todas as etapas, mas o fracasso é a que o tornará permanente. A não ser que aprendamos, aqui e agora mesmo, com nossos erros. A não ser que usemos este momento como oportunidade para entender melhor a nós mesmos e a nossa mente, o ego vai buscar o fracasso como se fosse seu norte.

Todos os grandes homens e mulheres passaram por dificuldades para chegar onde estão, todos cometeram erros. Eles se beneficiaram de algum modo com essas experiências — mesmo que tenha sido simplesmente com a percepção de que não

PARA TUDO O QUE VEM A SEGUIR, O EGO É SEU INIMIGO

eram infalíveis e de que as coisas nem sempre acontecem como querem. Descobriram que a autoconsciência era a saída — se não tivessem enxergado isso, não teriam melhorado, nem sido capazes de se reerguer.

E é por isso que temos o mantra deles para nos guiar, para podermos sobreviver e prosperar em cada parte da jornada. É simples (embora nunca fácil).

Não buscar nem aspirar a algo motivado pelo ego.
Ter sucesso sem o ego.
Superar o fracasso com a força, e não com o ego.

EPÍLOGO

Há um tipo de guerra civil acontecendo na vida de cada um. Há um Sul recalcitrante da nossa alma revoltando-se contra o Norte da nossa alma. E há uma luta contínua dentro da estrutura de cada vida.

— MARTIN LUTHER KING JR.

Se você está lendo isto neste momento, é porque concluiu o livro. Eu temia que alguns não conseguissem. Para ser completamente honesto, não sabia nem se eu mesmo chegaria aqui.

Como você se sente? Cansado? Confuso? Livre?

Não é fácil enfrentar o ego. Primeiro, aceitar que o ego pode estar ali. Depois, submeter-se ao escrutínio e à crítica. A maioria de nós não suporta o desconforto do autoexame. É mais fácil fazer praticamente qualquer outra coisa. Aliás, algumas das realizações mais inacreditáveis do mundo sem dúvida são o resultado de um desejo de se evitar a escuridão do ego.

Seja como for, o mero fato de ter chegado até aqui significa que você desferiu um forte golpe contra o ego. Não é a única coisa que precisará fazer, mas já é um começo.

O EGO É SEU INIMIGO

Meu amigo, o filósofo e mestre das artes marciais Daniele Bolelli, certa vez me forneceu uma metáfora útil. Ele explicou que treinar era como varrer o chão. Só porque fizemos isso uma vez não significa que o chão vai ficar limpo para sempre. Todos os dias a poeira volta. E todos os dias precisamos varrer novamente.

O mesmo se aplica ao ego. Você ficaria chocado com o tipo de prejuízo que a poeira e a sujeira podem causar com o tempo. E com o quão rápido elas se acumulam, tornando-se difíceis de remover.

Alguns dias depois de ter sido demitido pela diretoria da American Apparel, Dov Charney me telefonou às três da manhã. Ele estava dividido entre a depressão e a raiva, acreditando genuinamente que não tinha culpa nenhuma pela situação em que se encontrava. Eu perguntei: "Dov, o que você vai fazer? Vai dar uma de Steve Jobs e fundar uma nova companhia? Vai fazer uma represália?" Ele ficou em silêncio por um momento e, em seguida, disse com uma honestidade que pude sentir através do telefone: "Ryan, Steve Jobs *morreu*." Para ele, naquele estado terrível, seu fracasso, seu golpe era o mesmo que a morte. Foi uma das últimas vezes que conversamos. Observei com horror, nos meses seguintes, Dov prejudicar a empresa em que havia investido tudo de si para ajudar a construir.

Foi um momento triste que me acompanha até hoje.

Mas, pela graça de Deus, eu vou. Mas, pela graça de Deus, poderia ter sido qualquer um de nós.

Todos nós experimentamos o sucesso e o fracasso à nossa própria maneira. Em meu esforço para escrever este livro, pas-

EPÍLOGO

sei por quatro esboços suados da proposta, que foram rejeitados, e dúzias de esboços do manuscrito. Em meus projetos anteriores, tenho certeza de que não teria suportado essas dificuldades. Talvez tivesse desistido ou tentado trabalhar com outra pessoa. Talvez tivesse batido o pé e danificado o livro de maneira irreparável.

Em algum ponto durante desse processo, encontrei um artifício terapêutico. Após cada esboço, eu rasgava as páginas e descartava o papel na composteira que tenho na garagem. Alguns meses depois, aquelas páginas dolorosas haviam virado o composto orgânico que alimentava meu jardim, onde eu podia andar de pés descalços. Era uma conexão real e tangível com a imensidão maior. Eu gostava de lembrar que o mesmo processo vai acontecer quando eu me for, quando eu morrer e a natureza me decompor.

Uma das descobertas mais libertadoras me veio à mente enquanto eu escrevia e pensava nas ideias expostas nas páginas que você acabou de ler. Ocorreu-me que nós temos a ilusão prejudicial de que nossas vidas são "grandes monumentos" que devem durar para sempre. Qualquer pessoa ambiciosa conhece esse sentimento — de que você precisa fazer coisas importantes, de que deve encontrar seu caminho, e que, se não conseguir, é porque é um fracassado inútil e o mundo está conspirando contra você. Sofremos tanta pressão que, em um momento ou outro, todos cedemos a ela.

Mas é claro que isso não é verdade. Sim, nós temos o potencial dentro de nós. Todos temos objetivos e conquistas que sabemos ser capazes de alcançar — seja isso fundar uma empresa, concluir um trabalho criativo, participar de um campeonato ou chegar ao topo de sua área de atuação específica. São objetivos válidos. Mas quem cede à pressão não chega lá.

O problema ocorre quando o ego intervém nessas buscas, corrompendo-as e nos enfraquecendo em nossa jornada rumo ao que queremos. Sussurrando mentiras enquanto embarcamos na jornada e também quando alcançamos o sucesso — e, pior ainda, sussurrando mentiras dolorosas quando tropeçamos ao longo do caminho. Como qualquer droga, o ego pode ser justificado, a princípio, como uma tentativa de obter uma vantagem ou de amenizá-la. O problema é que ele rapidamente se transforma no objetivo em si. E é assim que acabamos nos surpreendendo com momentos surreais, como o que eu vivi ao telefone com Dov, ou ainda em qualquer um dos contos admonitórios deste livro.

Ao longo do meu trabalho e da minha vida, descobri que a maioria das consequências do ego não são tão calamitosas. Muitas das pessoas em sua vida — e em nosso mundo — que se entregaram ao ego não "terão o que merecem", no sentido da justiça cármica que nos ensinam a acreditar quando crianças. Eu queria que fosse simples assim.

Em vez disso, as consequências lembram mais o final de um dos meus livros favoritos, *O que faz Sammy correr?*, de Budd Schulberg, um romance cujo famoso personagem é baseado na vida real de empreendedores do entretenimento, como Samuel Goldwyn e David O. Selznick. No livro, o narrador é chamado à mansão palaciana de um magnata calculista, implacável e egoísta de Hollywood cuja impressionante ascensão ele acompanhou com um misto de admiração, confusão e, no final, asco.

Nesse momento de vulnerabilidade, o narrador enxerga com clareza a vida do homem — seu casamento vazio e solitário, seu medo, sua insegurança, sua incapacidade de ficar parado mesmo que por um segundo. Ele se dá conta de que a

EPÍLOGO

punição — o carma negativo — que esperara que o homem
sofresse, apesar de todas as regras que ele havia quebrado, de
todas as trapaças que ele empreendera para conseguir o que
queria, não viria. Porque já estava ali. Como ele escreve:

> Eu esperara algo conclusivo e fatal, e agora percebo que *o
> que o aguardava* não era um acerto de contas súbito, mas
> um processo, uma doença que ele havia contraído na epi-
> demia que varreu sua terra natal como uma praga; um
> câncer que o consumia lentamente, os sintomas se desen-
> volvendo e se intensificando: sucesso, solidão, medo. Medo
> de todos os jovens inteligentes, dos novos e mais vigorosos
> Sammy Glicks que surgiriam para molestá-lo, para amea-
> çá-lo e, enfim, superá-lo.

É assim que o ego se manifesta. E não é isso que tememos
desesperadamente nos tornar?

Revelarei uma última coisa que espero que feche o ciclo. Li
a passagem acima pela primeira vez quando tinha dezenove
anos. Foi uma leitura recomendada por um mentor experiente
que havia encontrado, como também aconteceria comigo, o
sucesso logo no início da carreira na indústria do entretenimento. O livro se tornou uma influência e foi fonte de informação para mim, exatamente como ele acreditara que seria.

No entanto, nos anos seguintes, percorri um caminho que
me levou a uma situação quase idêntica à dos personagens do
livro. Não apenas fui chamado à mansão palaciana para assistir à dissolução esperada e inevitável de alguém que eu admirava, mas logo depois me vi perigosamente perto da minha
própria queda.

O EGO É SEU INIMIGO

Sei que a passagem me marcou porque, quando a procurei para digitá-la neste epílogo, encontrei as páginas da minha cópia original cobertas por minha própria letra, escrita anos atrás, detalhando minha reação pouco antes de eu partir para o mundo. Está claro ali que eu havia entendido as palavras de Schulberg do ponto de vista intelectual, e talvez até emocional — mas, ainda assim, fiz as escolhas erradas. Varri uma vez e achei que fosse o bastante.

Dez anos depois de tê-la lido e de ter escrito meus pensamentos, eu estava pronto outra vez. Aquelas lições voltaram para mim exatamente como eu precisava que voltassem.

Bismarck certa vez afirmou que, com efeito, qualquer tolo pode aprender com a experiência. O truque é aprender com as experiências *dos outros*. Este livro começou a ser escrito em torno da última ideia. Contudo, para minha surpresa, acabou com um aflitivo bocado da primeira. Eu me propus estudar o ego e acabei me deparando com o meu próprio — e com os das pessoas que passei tanto tempo admirando.

Talvez você também precise experimentar um pouco disso. Talvez seja como a reflexão de Plutarco, segundo a qual não "obtemos tanto conhecimento das coisas pelas palavras quanto obtemos palavras pela experiência [que temos] com as coisas".

De todo modo, quero concluir este livro com a ideia que serviu de base para tudo o que você acabou de ler: que é admirável querer ser um homem ou uma mulher de negócios melhor, um atleta melhor, um conquistador melhor. Todos nós devemos querer ser mais informados, ter uma situação financeira melhor... Devemos querer, como eu disse algumas vezes ao longo do livro, fazer coisas grandiosas. Eu sei que eu quero.

EPÍLOGO

Mas eis um feito não menos admirável: ser uma pessoa melhor, ser uma pessoa mais feliz, ser uma pessoa equilibrada, ser uma pessoa satisfeita, ser uma pessoa humilde e altruísta. Ou, melhor ainda, ser tudo isso ao mesmo tempo. E, o que é mais óbvio, mas na maioria das vezes ignorado, é que o aperfeiçoamento pessoal geralmente leva ao sucesso profissional, mas raramente acontece o contrário. Esforçar-se para refinar seus pensamentos habituais, para sufocar impulsos destrutivos — esses não são simples requisitos morais para uma pessoa decente. São coisas que vão nos tornar mais bem-sucedidos; vão nos ajudar a navegar pelo mar traiçoeiro que a ambição irá nos levar a atravessar. E também são sua própria recompensa.

Então, aqui está você, no final deste livro sobre o ego, tendo visto tudo o que se pode ver sobre os problemas do ego a partir das experiências de outras pessoas e das minhas próprias experiências.

O que está faltando?

As suas escolhas. O que você *fará* com essas informações? Não só agora, mas daqui em diante?

Todos os dias, pelo resto de sua vida, você irá se deparar com uma destas três etapas: aspiração, sucesso, fracasso. Você enfrentará o ego em cada uma delas. E em cada uma também cometerá erros.

Você deve varrer o chão a cada minuto, todos os dias. E depois deve varrer outra vez.

O QUE LER AGORA

Para a maioria das pessoas, bibliografias são um tédio. Para aqueles que adoram ler, elas podem ser a melhor parte de um livro. Sendo eu uma dessas pessoas, preparei para você — meu leitor amante de livros — um guia completo com cada livro e fonte que usei em meu estudo sobre o ego. Eu queria lhe mostrar não apenas quais livros mereceram citações, mas o que extraí deles e quais recomendo fortemente que você leia a seguir. O problema foi que fiquei tão empolgado que acabei exagerando, e meu editor me informou que o que havia preparado era extenso demais para ser incluído no livro. Então, eu gostaria de enviar o material [conteúdo em inglês] diretamente para você — em um formato que permite buscas.

Se você gostaria de receber essas recomendações, tudo o que precisa fazer é enviar um e-mail para EgoIsTheEnemy@gmail.com ou visitar www.EgoIsTheEnemy/books. Também enviarei uma coleção das minhas citações e observações favoritas sobre o ego — muitas das quais não consegui incluir neste livro.

POSSO RECEBER AINDA MAIS
INDICAÇÕES DE LIVROS?

Você também pode assinar minha lista mensal de indicações de livros por e-mail. A lista de destinatários já inclui mais de cinquenta mil leitores ávidos e curiosos como você. Você receberá um e-mail por mês com recomendações baseadas em minhas leituras pessoais. Para começar, dez dos meus livros favoritos. Basta mandar um e-mail para ryanholiday@gmail.com com o título "Reading List E-mail" no campo "assunto" ou se cadastrar em ryanholiday.net/reading-newsletter.

BIBLIOGRAFIA SELECIONADA

ARISTÓTELES. Ética a Nicômaco. Edipro, 2014.

BARLETT, Donald L., e James B. Steele. *Howard Hughes: his life and madness*. Londres: Andre Deutsch, 2003.

BLY, Robert. *João de Ferro: um livro sobre homens*. Campus/Elsevier, 2004.

BOLELLI, Daniele. *On the warrior's path: fighting, philosophy, and martial arts mythology*. Berkeley, CA: Frog, 2003.

BRADY, Frank. *Citizen Welles: a biography of Orson Welles*. Nova York: Scribner, 1988.

BROWN, Peter H., e Pat H. Broeske. *Howard Hughes: the untold story*. Da Capo, 2004.

C., Chuck. *A new pair of glasses*. Irvine, CA: New-Look Publishing, 1984.

CHERNOW, Ron. *Titan: the life of John D. Rockefeller, Sr*. Nova York: Vintage, 2004.

COOK, Blanche Wiesen. *Eleanor Roosevelt: the defining years*. Nova York: Penguin, 2000.

CORAM, Robert. *Boyd: the fighter pilot who changed the art of war*. Boston: Little, Brown, 2002.

CRAY, Ed. *General of the Army: George C. Marshall, soldier and statesman*. Nova York: Cooper Square, 2000.

CSIKSZENTMIHALYI, Mihaly. *Creativity: flow and the psychology of discovery and invention*. Nova York: Harper Collins, 1996.

EMERSON, Ralph Waldo. *Homens representativos*. Ediouro, 1990.

GENEEN, Harold. *Managing*. Garden City, NY: Doubleday, 1984.

GRAHAM, Katharine. *Uma história pessoal*. DBA, 1998.

GRANT, Ulysses S. *Personal memoirs of U.S. Grant: selected letters 1839-1865*. Nova York: Library of America, 1990.

HALBERSTAM, David. *The education of a coach*. Nova York: Hachette, 2006.

HENRY, Philip, e J. C. Coulston. *The life of Belisarius: the last great general of Rome*. Yardley, Penn.: Westholme, 2006.

HERÓDOTO, *História*. Edipro, 2015.

HESÍODO, *Teogonia / Trabalhos e Dias*. Hedra, 2013.

_____ *Elegies*. Trad. Dorothea Wender. Harmondsworth, Reino Unido: Penguin, 1973.

ISAACSON, Walter. *Benjamin Franklin: uma vida americana*. Companhia das Letras, 2015.

LAMOTT, Anne. *Palavra por palavra: instruções sobre escrever e viver*. Sextante, 1996.

LEVIN, Hillel. *Grand delusions: the cosmic career of John DeLorean*. Nova York: Viking, 1983

LIDDELL Hart, B. H. *Sherman: soldier, realist, American*. Nova York: Da Capo, 1993.

MALCOLM X, e Alex Haley. *Autobiografia de Malcolm X*. Record, 1992.

MARCO Aurélio, *Meditações*. Iluminuras, 1995.

MARCIAL, *Epigramas*. Edições 70, 2000. (Português de Portugal)

MCPHEE, John. *A sense of where you are: a profile of Bill Bradley at Princeton*. Nova York: Farrar, Straus and Giroux, 1999.

BIBLIOGRAFIA SELECIONADA

MCWILLIAMS, Carey. *The education of Carey McWilliams*. Nova York: Simon & Schuster, 1979.

MOSLEY, Leonard. *Marshall: hero for our times*. Nova York: Hearst, 1982.

MUIR, John. *Wilderness essays*. Salt Lake City: Peregrine Smith, 1980.

Nixon by Nixon: in his own words. Direção de Peter W. Kunhardt. Documentário da HBO, 2014.

ORTH, Maureen. "Angela's Assets". *Vanity Fair*, janeiro de 2015.

PACKER, George. "The Quiet German". *New Yorker*, 1º de dezembro de 2014.

PALAHNIUK, Chuck. *Clube da Luta*. LeYa, 2012.

PLUTARCO, trad. Ian Scott-Kilvert. *The rise and fall of Athens: nine Greek lives*. Harmondsworth, Reino Unido: Penguin, 1960.

PRESSFIELD, Steven. *Tempos de guerra: um romance sobre Alcebíades e a Guerra do Peloponeso*. Objetiva, 2004.

RAMPERSAD, Arnold. *Jackie Robinson: a biography*. Nova York: Knopf, 1997.

RILEY, Pat. *The winner within: a life plan for team players*. Nova York: Putnam, 1993.

ROBERTS, Russ. *Como Adam Smith pode mudar sua vida*. Sextante, 2015.

SCHULBERG, Budd. *O que faz Sammy correr?* Record, 1994.

SEARS, Stephen W. *George B. McClellan: the young Napoleon*. Nova York: Ticknor & Fields, 1988.

SÊNECA, Lúcio Anneo. *Sobre a brevidade da vida*. L&PM Pocket, 2006.

SHAMROCK, Frank. *Uncaged: my life as a champion MMA fighter*. Chicago: Chicago Review Press, 2012.

SHERIDAN, Sam. *The fighter's mind: inside the mental game*. Nova York: Atlantic Monthly, 2010.

SHERMAN, William T. *Memoirs of General W. T. Sherman*. Nova York: Literary Classics of the United States, 1990.

SMITH, Adam. *Teoria dos sentimentos morais*. WMF Martins Fontes, 2015.

SMITH, Jean Edward. *Eisenhower: in war and peace*. Nova York: Random House, 2012.

STEVENSON, Robert Louis. *An apology for idlers*. Londres: Penguin, 2009.

WALSH, Bill. *The score takes care of itself: my philosophy of leadership*. Nova York: Portfolio / Penguin, 2009.

WASHINGTON, Booker T. *Memórias de um negro*. Companhia Editora Nacional, 1940.

WEATHERFORD, J. *Gengis Khan e a formação do mundo moderno*. Bertrand Brasil, 2010.

WOODEN, John. *Coach Wooden's leadership game plan for success: 12 lessons for extraordinary performance and personal excellence*. Nova York: McGraw-Hill Education, 2009.

AGRADECIMENTOS

Nos livros que publiquei anteriormente, fiz questão não só de tentar agradecer às pessoas e aos mentores que ajudaram com o livro, mas também de deixar claro a dívida que tenho para com os muitos autores e pensadores que me inspiraram ao longo dos anos. Este livro não apenas não teria sido possível sem eles, como também me sinto muito culpado pelo fato de os leitores poderem me dar crédito por ideias originalmente concebidas por outros escritores mais sábios. Qualquer coisa de valor que possa haver neste livro veio deles, não de mim.

Este livro não seria o que é sem a edição e os conselhos inestimáveis de meus editores Nils Parker e Niki Papadopoulos. Steven Pressfield, Tom Bilyeu e Joey Roth forneceram observações críticas logo no início e pelas quais sou muito grato.

Quero agradecer à minha mulher, que não apenas me ajudou pessoalmente enquanto eu escrevia o livro, mas também foi minha leitora mais dedicada. Quero agradecer ao meu agente, Steve Hanselman, que me representou desde o primeiro dia. Obrigado, Michael Tunney, pela ajuda com a proposta, Kevin Currie, pela ajuda, e Hristo Vassilev, pelo excelente trabalho de pesquisa e assistência. Obrigado, Mike Lombardi, dos Patriots, pelo apoio e pelas ideias. Também tenho uma dívida de gratidão para com Tim Ferriss, cujo apoio ao meu último livro possibilitou a concretização deste, e o mesmo se aplica a Robert Greene, que me ajudou a me tornar um escritor, e ao dr. Drew, que me apresentou à filosofia. Quero agradecer a John Luttrell e a Tobias Keller pelas orientações e conversas durante o período caótico na American Apparel. Não sei ao certo se eu teria sobrevivido se não fosse pelos Workaholics Anônimos, tanto pelo apoio durante as reuniões em Los Angeles quanto por meio dos telefonemas semanais.

Em termos de lugares, a Biblioteca da Universidade do Texas, em Austin; a Biblioteca Riverside, da Universidade da Califórnia; várias trilhas de corrida (e meus tênis) e a minha casa fora de casa, o Los Angeles Athletic Club, facilitaram a escrita deste livro.

Por fim, seria errado agradecer às minhas cabras de estimação? Se não for, obrigado, Biscuit, Bucket e Watermelon, por sempre deixarem tudo mais divertido.

CONHEÇA OUTROS TÍTULOS DO AUTOR

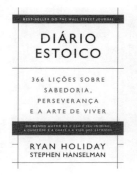

1ª edição	SETEMBRO DE 2017
reimpressão	JUNHO DE 2024
impressão	CROMOSETE
papel de miolo	LUX CREAM 60 G/M
papel de capa	CARTÃO SUPREMO ALTA ALVURA 250 G/M^2
tipografia	ELECTRA LH